HIERBAS

MEDICINALES

HIERBAS

MEDICINALES

Remedios de herbolario que funcionan.
La forma más natural de prevenir las
enfermedades y mantenerse sano.

Hyla Cass

nowtilus

Colección: Guías Prácticas de Salud, Nutrifarmacia y Medicina Natural
www.guiasbrevesdesalud.com

Título: Hierbas medicinales
Subtítulo: Remedios de herbolario que funcionan. La forma más natural de prevenir las enfermedades y mantenerse sano
Autor: © Hyla Cass
Traducción: Claudia Rueda Ceppi

Copyright de la presente edición: © 2008 Ediciones Nowtilus, S.L.
Doña Juana I de Castilla 44, 3º C, 28027 Madrid
www.nowtilus.com

Editor: Santos Rodríguez
Coordinador editorial: José Luis Torres Vitolas

Diseño y realización de cubiertas: Carlos Peydró
Diseño del interior de la colección: JLTV
Maquetación: Claudia Rueda Ceppi

ISBN-13: 978-84-9763-432-8
Fecha de edición: Enero 2008

Printed in Spain
Imprime: Estugraf Impresores S.L.
Depósito legal: M-54266-2007

ÍNDICE

INTRODUCCIÓN

Durante miles de años, en distintas culturas y países, las hierbas se han venido usando ininterrumpidamente como remedios naturales para acabar con diversas enfermedades. Seguras y efectivas, han superado con éxito la prueba del tiempo y han ayudado a millones de personas a mantener o recobrar su salud. Hoy son usadas por un número cada vez mayor de personas que buscan reemplazar los medicamentos sintéticos, usualmente arriesgados, por remedios íntegramente naturales.

Puede parecer extraño que las drogas modernas puedan ser sustituidas por infusiones de la abuela, polvos, soluciones o tinturas. No obstante, considerable evidencia científica respalda el uso de las medicinas herbales. Además muchas de las actuales medicinas que se ofrecen en el mercado son versiones sintéticas de sustancias encontradas en las plantas. En los Estados Unidos, por ejemplo, la profesión médica está empezando lentamente a darse cuenta de ello, pese a haber menospreciado el valor de las hierbas en el pasado optando por prescribir carísimas drogas en lugar de remedios naturales. En contraste, los doctores europeos han mantenido su interés por las hierbas medicinales o fitomedicinas, prescribiéndolas conjuntamente con las farmacéuticas. En comparación con los Estados Unidos, Europa posee una tradición más sólida en el uso de hierbas medicinales, por lo que no resulta sorprendente que la mayor parte de las investigaciones en este campo se hayan realizado en este continente.

¿Por qué usar hierbas en lugar de medicamentos sintéticos? La respuesta es simple, las hierbas poseen diversas propiedades que las hacen superiores a las drogas sintéticas en muchos aspectos, como las de estar más en sintonía con el organismo y, por ende, generar pocos y, definitivamente, menos dañinos efectos secundarios. Más aún, la mayor parte de las hierbas poseen múltiples y variados usos, proporcionando siempre mayores beneficios que efectos adversos. En efecto, tratándose del ginkgo, esta planta no solo mejora la memoria sino que también puede potenciar la circulación de la sangre desde los brazos hasta las piernas. Y el ajo, además de fortalecer el sistema inmunológico, disminuye el colesterol. Asimismo, las hierbas cumplen funciones que las drogas no pueden llevar a cabo.

Así, por ejemplo, cuando la hierba denominada cardo lechero es administrada tempranamente, puede proteger al sujeto del envenenamiento producido por hongos. De la misma manera, todo el espectro de los adaptógenos no tiene equivalente en el mundo de la medicación convencional.

Finalmente, las hierbas poseen la ventaja adicional de que pueden ser obtenidas sin prescripción, además de ser relativamente baratas y bastante seguras si son usadas correctamente. A través de esta Guía, usted aprenderá qué son las hierbas, cómo funcionan y cómo deben comprarse y emplearse.

Además, podrá encontrar detalladas descripciones de las propiedades y características de las diez hierbas medicinales más populares. Sin importar que sea joven o viejo, mujer u hombre, usted aprenderá a emplear estas plantas para mejorar su salud y mantener su bienestar.

1

DEL CONOCIMIENTO TRADICIONAL A LA CIENCIA

El uso de las hierbas es tan viejo como la historia de la humanidad. Desde los más primitivos moradores de las junglas hasta las civilizaciones altamente sofisticadas, como la China o la India, cada cultura posee sus propios remedios herbales. La Medicina Tradicional China (MTC) y la Ayurvédica (India Oriental) representan dos milenarios sistemas de curación que además de perdurar en el tiempo, hoy están ganando mayor prestigio gracias a nuevos descubrimientos científicos. Ambos sistemas usan determinadas hierbas que crecen en sus respectivas áreas geográficas, las que, usualmente, combinan o mezclan de distintas maneras a fin de tratar innumerables enfermedades. Otro de los rasgos comunes de estos sistemas es que ambos son integradores, es decir, tratan el cuerpo y la mente como una unidad en permanente interacción.

LA POPULARIDAD DE LAS HIERBAS

Una hierba medicinal puede ser cualquier planta que pueda beneficiar a la salud. El producto final puede obtenerse de distintas partes de la planta (la hoja, como en el ginkgo, el fruto, como en el saw palmetto o la raíz, como en el ginseng). Ricas en vitaminas, minerales y componentes similares a las vitaminas (como el polyfenol, los flavonoides o los carotinoides), estos productos son usados por el cuerpo para potenciar sus distintos procesos bioquímicos.

Alrededor del 80% de la población mundial recurre a las hierbas medicinales, que abarcan un espectro que incluye los remedios populares más tradicionales hasta las más científicas fitomedicinas de Europa y Asia. En estos continentes, aquellos doctores que tienen la posibilidad de escoger entre prescribir hierbas o farmacéuticos, generalmente optan por las primeras. En Alemania, por ejemplo, los médicos prescriben, con una frecuencia similar, la hierba de San Juan, una planta empleada para tratar la depresión, y la droga antidepresiva más usada para aliviar esta dolencia. ¿Por qué? Porque esta hierba es tan efectiva como el mejor antidepresivo sintético, cuesta menos y no genera los efectos adversos que sí produce dicho antidepresivo.

Asimismo, las ventas de productos botánicos en los Estados Unidos se han incrementado considerablemente y, en la actualidad, exceden los 4 billones anuales. Por supuesto, esta cifra representa solo una mínima porción de las ventas anuales que alcanzan los farmacéuticos, cuyos montos oscilan entre los 50 y 60 billones de dólares al año. En 1998, la empresa *Hartman y New Hope* llevó a cabo una encuesta entre 43.442 familias norteamericanas y encontró que el 68% había consumido una vitamina, un mineral o un suplemento herbal en los seis meses previos.

No obstante, a pesar de esta creciente aceptación de las hierbas, Norteamérica aún está bastante rezagada respecto a Europa en lo que se refiere al uso de las mismas y a su investigación científica.

MEDICINA OCCIDENTAL VERSUS MEDICINA NATURAL

A diferencia de lo que sucede en la medicina occidental, la medicina herbal tradicional confecciona cada diagnóstico y tratamiento para que pueda adaptarse perfectamente al individuo en cuestión. Esto tiene mucho sentido, cuando uno considera que, desde nuestros rostros hasta nuestras huellas dactilares, no existen dos personas que sean exactamente iguales. Cuando establecen un tratamiento, los médicos naturistas prestan atención a cada aspecto del individuo, sin limitarse a tratar un achaque o síntoma específico.

Otra diferencia importante es que aquellos que practican la medicina tradicional consideran los componentes químicos y moleculares de las hierbas y también se concentran en sus aspectos energéticos. ¿Qué significa esto? A diferencia de lo que sucede con las drogas manufacturadas, el poder curativo de las hierbas no se debe únicamente a sus componentes moleculares. En efecto, el sustento energético de la planta, al encontrarse con el sustento energético del individuo, puede producir un efecto curativo adicional. Este concepto no solo aparece en la medicina oriental, sino también en las creencias de los nativos americanos, para quienes el espíritu (es decir, la energía) de una hierba participa directamente en la batalla contra la enfermedad.

Este concepto, que puede sonar extraño a nuestro esquema mental occidental, puede ser explicado científicamente. Todos los seres vivientes, desde las plantas hasta los humanos, contienen energía. A fin de crecer, las plantas primero deben absorber la energía del sol y, luego, transformarla. Cuando ingerimos una planta, nuestro cuerpo toma la energía proveniente de ella y la usa para su propio sustento. Los químicos de nuestro cuerpo son, básicamente, carcasas que transportan energía. Los chinos llamaban, a nuestra fuerza energética vital, *qi*. Así tenemos que mientras que la medicina occidental se concentra en luchar contra la enfermedad propiamente dicha, la medicina china aborda a la enfermedad como un bloqueo de esta fuerza vital. Para esta medicina milenaria, la enfermedad puede ser el resultado de un bloqueo de nuestra habilidad para acceder y utilizar plenamente nuestra energía potencial.

Podemos empezar a entender este concepto, analizando el éxito de la acupuntura, la misma que se basa en el desbloqueo del fluido energético del cuerpo a través de los canales de energía ocultos denominados *meridianos*. Analógicamente, consideremos un río que fluye lleno de energía y vida. Si lo dañamos y bloqueamos su corriente, el agua se estancará y se llenará de mosquitos. Ahora bien, podemos solucionar este problema con pesticidas tóxicos que eliminarán a los mosquitos, pero que también dañarán a los peces y a cualquiera que beba de esa agua. Una mejor alternativa sería la de deshacer el bloqueo, permitiendo que el agua pueda volver a fluir libremente, forzando a los mosquitos a marcharse. De manera similar, durante la enfermedad, si nuestro fluido energético está bloqueado, lo único que debemos hacer es escoger la hierba adecuada para abrir dicho bloqueo y permitir que la energía del cuerpo vuelva a fluir, permitiendo de esta manera el proceso de sanación.

En qué difieren las hierbas de los farmacéuticos

Muchas personas no se percatan de que las hierbas constituyen la fuente original de, por lo menos, el 25% de todos los farmacéuticos. Generalmente las drogas o están hechas a partir de ellas o son duplicados sintéticos de químicos originalmente aislados de las plantas curativas. Como ejemplo tenemos a la morfina, poderoso analgésico, que deriva de la amapola del opio; la dedalera o digital, un estimulante cardiaco, que proviene de una flor llamada foxglove; y la reserpina, un sedante, que además se emplea para combatir la hipertensión, que se obtiene de la rauwolfia (raíz desecada de rauwolfia serpentina, originaria de la India).

Por lo general, las hierbas trabajan conjuntamente con los procesos del cuerpo para liberarlo de la enfermedad. Por ejemplo, la equinácea incrementa la actividad de nuestros glóbulos blancos, los que están destinados a luchar contra la infección. El cardo lechero potencia la producción en el hígado del antioxidante glutatión para combatir a los radicales libres. A diferencia de la medicina occidental que se focaliza en los ingredientes activos de la planta, extrayéndolos e ignorando el resto, la medicina herbal se concentra en la acción sinérgica de toda la planta, que puede contener miles de componentes. Usualmente, un remedio herbal, obtenido de la planta en su totalidad, es más efectivo que sus componentes tomados por separado, precisamente porque dichos componentes trabajan en concierto para promover la salud. Asimismo las hierbas tienden a trabajar gradualmente, ayudando a fortalecer las defensas del cuerpo a través del tiempo. Por otro lado, es cierto que las drogas actúan más rápido sobre el blanco al que se dirigen, pero es justamente esa rapidez lo que normalmente produce efectos secundarios.

SEGURIDAD DE LAS HIERBAS

A efectos de comparar la seguridad de las hierbas con la de las drogas sintéticas, cabe resaltar un estudio reciente que muestra la existencia de 100 mil muertes al año en hospitales, generadas por el uso directo de drogas prescritas, así como más de 2 millones de reacciones serias, producidas al año, por el uso de dichas drogas. En contraste, las muertes derivadas del empleo de medicinas herbales son extremadamente raras. Es cierto que ha aparecido cierta publicidad negativa con relación a la efedra, una hierba usada para reducir peso, pero también es verdad que las muertes que se han atribuido a su uso pueden deberse a diversas causas. Por lo que el rol que esta hierba ha desempeñado es estos sucesos, si existe, es bastante menor del que se le ha adjudicado. Por supuesto, las hierbas deben ser usadas responsablemente, tratándose de la efedra,

los individuos con el corazón debilitado no deben usarla, menos aún cuando esta es combinada con la efedrina sintética, un ingrediente conocido como estimulante cardiaco, muy común entre los remedios contra el resfríado.

Las reacciones negativas más comunes frente a las hierbas son los síntomas alérgicos, como las erupciones y las molestias estomacales. Dichas reacciones, así como las que se producen frente a las drogas, pueden ser distintas dependiendo de cada persona. Cada uno de nosotros posee una bioquímica particular con sus propias reacciones. Siempre les advierto a mis pacientes que si sienten cualquier efecto extraño, derivado del uso de una planta, deben confiar en esta respuesta del cuerpo y reducir la dosis o, simplemente, detener la ingesta, a fin de verificar si se produce un cambio. En cualquier caso, si una hierba llega a producir un problema siempre existirá otra que puede ser tomada en su reemplazo.

USAR LAS HIERBAS SENSATAMENTE

Por lo general, las personas que están tomando medicamentos prescritos pueden emplear simultáneamente, con toda seguridad, la mayor parte de las hierbas medicinales. Sin embargo, es recomendable que consulten con su doctor antes de tratar la misma enfermedad con drogas y hierbas a la vez.

Dado que la mayor parte de los doctores no están bien versados en este tema, probablemente le recomendarán que elimine las hierbas. Pese a ello, usted igual deberá mantener informado a su médico acerca de los remedios naturales que está consumiendo, puesto que pueden presentarse efectos secundarios muy serios producidos por la interacción entre las drogas y los remedios naturales.

Un ejemplo de esta combinación contraindicada es la de la Hierba de San Juan con un inhibidor antidepresivo de monoamino oxidasa (MAO) o con una variedad de diversas drogas como el coumadin y la cyclosporine. Otra de estas combinaciones fatales es la del ginkgo, que actúa como un adelgazante de la sangre, con cualquier otro adelgazante de la sangre (anticoagulante). Si desea obtener información más específica en este campo, consulte *Contraindicaciones de las Hierbas e Interacción con las Drogas* de Francis Brinker y Nancy Stodart o distintas páginas web relacionadas a este tema como la supplementinfo.org.

Sin embargo, existen algunas combinaciones positivas de drogas y hierbas, muchas de las cuales prescribo, rutinariamente, a mis pacientes. Por ejemplo, a aquellos que están ingiriendo una droga que será metabolizada por el hígado, como es el caso de un antidepresivo, les recomiendo el cardo lechero, una planta que mejora el funcionamiento normal de este órgano.

Las mujeres deben ser precavidas respecto a la ingesta de hierbas durante el embarazo y la lactancia, dado que dicha ingesta puede afectar al bebé. El empleo de muchas de ellas aún no ha sido aprobado durante estas dos etapas, por lo que más vale extremar las precauciones. En muchos casos, las hierbas pueden resultar el tratamiento más idóneo para los niños, pero es muy importante que la dosificación se ajuste adecuadamente. Generalmente, las dosis empleadas para los adultos deberán modificarse en función al peso del niño. La obra *Medicina Inteligente para un niño más sano: referencia práctica de la A-a-la-Z sobre los tratamientos convencionales y naturales para infantes & niños*, escrita por Janet Zand, Rachel Walton y Bob Rountree, constituye una fuente excelente sobre este tema.

La manera más fácil para que un niño pueda tomar un remedio herbal es recurriendo a la forma líquida, especialmente si este líquido tiene una base de glicerina dulce.

Si usted prefiere las soluciones con contenido de alcohol más potentes, añádale a esta solución agua caliente para evaporar el alcohol. Luego, podrá mejorar el gusto mezclando el líquido con compota de manzanas, yogurt o puré de patatas.

LA NUEVA CIENCIA DE LAS HIERBAS

Los estudios de investigación constituyen el sustento de la medicina convencional y proveen información valiosa en todos los campos, incluyendo el de la biología humana y el de las ciencias de la salud. Desde que la demanda por un acercamiento más natural hacia la medicina viene incrementándose, existe un mayor interés por la investigación en este rubro. Sin embargo, dicha investigación se ha visto complicada por la existencia de factores no científicos que repercuten en la captación de fondos. La investigación es costosa, puede representar millones, y la mayoría de los productos naturales no gozan de un fondo importante para tales fines.

En los Estados Unidos, las compañías farmacéuticas optarán por asumir los costos de la investigación de un producto natural, únicamente, si están seguras de que, posteriormente, podrán obtener la patente para cualquier producto nuevo que resulte de dicha investigación. Y ahí reside el mayor problema, dado que la mayor parte de los productos naturales, incluidas las hierbas, no pueden ser fácilmente patentados, y cualquier investigación sobre ellos pertenece al dominio público, sin importar quien la solvente. En consecuencia, si las compañías no pueden mantener el control exclusivo sobre la investigación que están costeando, obviamente permanecerán reticentes a invertir en estudios de esta naturaleza que también pueden beneficiar a sus competidores.

Como resultado de las millonarias inversiones de las compañías farmacéuticas en sus productos y de la colaboración con las facultades de medicina para fines investigativos, mucha de la información proviene, en primer lugar, de dichas facultades y, luego, de la industria propiamente dicha. En Europa (donde muchas hierbas medicinales son clasificadas junto con las drogas farmacéuticas, prescritas por doctores, y cubiertas por los planes de salud nacionales) es una historia diferente. Puesto que la medicina herbal es aceptada en este continente como una forma legítima de terapia, las compañías poseen un mayor incentivo financiero para emprender los estudios de investigación necesarios.

Es de suponer que la Industria Farmacéutica Norteamericana seguirá el derrotero de la europea y creará extractos refinados que puedan ser patentados. Desafortunadamente, esta aproximación implica la focalización en los denominados ingredientes activos en desmedro de los llamados materiales "extraneous", aquellos que son, precisamente, los que añaden al poder de las hierbas efectividad y seguridad. Desde que la investigación sobre las hierbas está dirigida a los extractos enteros, es muy probable que, en los Estados Unidos, se continúe con este tipo de aproximación. No obstante, todavía existen muchas aristas de discusión sobre este tema y sobre otros tópicos relacionados a la mejor manera de extraer, estandarizar, y proveer productos herbales. Mientras tanto, pese a sus innumerables beneficios, debemos ser muy cuidadosos para evitar que las hierbas se conviertan en productos que solo puedan ser empleados si son prescritos, dado que con ello restringiríamos bastante su uso.

Trabajando con su doctor

En el mejor de los mundos posibles, su doctor estaría familiarizado con las hierbas medicinales y las recetaría tanto como fueran necesarias. Creo firmemente que la mayor parte de los médicos buscan lo mejor o lo menos dañino, para sus pacientes. Por ello, le recomiendo que le lleve este libro, o cualquier otro similar, a su médico de cabecera para que así pueda ir descubriendo, poco a poco, los múltiples beneficios de la medicina natural.

Recuerde, existen situaciones en las que resulta indispensable recurrir a ayuda médica profesional. Por ejemplo, cuando se eleva la presión arterial, se presenta alguna enfermedad hepática, un agrandamiento de la próstata, una depresión severa o un deterioro de las funciones mentales. Todos estos casos pueden convertirse en situaciones médicas delicadas y deben ser cuidadosamente evaluadas antes de que usted se embarque en un programa de auto tratamiento.

2

LA EQUINÁCEA

La *Echinacea purpurea* (equinácea), también conocida como *purple coneflower* es uno de los remedios herbales más populares en el mundo. Durante más de un siglo, millones de personas en Europa y los Estados Unidos, han venido tomando equinácea al primer síntoma de resfrío o gripe. Los curanderos tradicionales de las tribus nativas americanas usaban especies emparentadas con esta hierba, como la *Echinacea angustifolia* para tratar un amplio espectro de problemas, incluyendo infecciones respiratorias, inflamaciones oculares, dolor de muelas y mordidas de serpiente. Ya antes del invento de las drogas de sulfa, en 1930, la equinácea era el principal remedio usado contra el resfriado y la gripe en los Estados Unidos.

En Alemania, esta planta es la medicina más recetada para tratar infecciones respiratorias menores, con más de 1,3 millones de prescripciones al año. Esta hierba también es empleada para tratar infecciones del oído, bronquitis, infecciones de la vejiga e incluso infecciones fúngicas. A diferencia de los antibióticos, que no son muy beneficiosos para tratar este tipo de infecciones, la equinácea puede reducir considerablemente muchos de los molestos y dolorosos síntomas que dichas infecciones generan.

CÓMO FUNCIONA

La equinácea fortalece el sistema inmunológico proporcionando una compleja combinación de respuestas para combatir a invasores tales como las bacterias y los virus. El sistema inmunológico lucha contra las infecciones produciendo anticuerpos, que son moléculas específicas creadas por las células sanguíneas como respuesta a la aparición de antígenos o invasores concretos. Así, la próxima vez que estos anticuerpos se encuentren con dichos antígenos, los reconocerán y lucharán contra ellos para eliminarlos. Sin la respuesta del sistema inmunológico, sucumbiríamos ante cualquier agente infeccioso con que nos topáramos.

Esta hierba fomenta la producción de anticuerpos, eleva el conteo de glóbulos blancos, y estimula la actividad de los mismos para luchar contra las infecciones. Entre estos glóbulos blancos podemos encontrar a los linfocitos, que combaten a los virus;

las células asesinas naturales, que atacan las células que generan tumores; y los macrófagos que engullen a las bacterias causantes de la enfermedad. Las dos clases principales de linfocitos son las células B, que crecen para madurar independientes del timo (glándula que forma parte del sistema linfático, situada detrás del esternón) y las células T, que son procesadas en dicha glándula.

Evidencia científica

Existen más de 400 estudios publicados sobre la equinácea, 11 de ellos son estudios doblemente ocultos perfectamente controlados. Uno de estos estudios analizó los casos de 108 pacientes que sufrían de una gripe severa y corta. A la mitad de dichos pacientes se les dio equinácea y a la mitad restante un placebo (píldora inocua). Después de ocho semanas, los resultados mostraron que el grupo efectivamente tratado permanecía sano durante más tiempo y, además cuando caían enfermos, la enfermedad era menos severa y de menor duración.

Asimismo, otro estudio de las mismas características examinó los efectos de esta hierba en 180 personas, que también sufrían de gripe, las cuales fueron divididas en 3 grupos. A uno de los grupos se les dio un placebo, a otro grupo, 450 mg de equinácea, y al tercero, 900 mg diarios de la misma sustancia. Al tercer día, aquellos sujetos que

31

recibieron la dosis más alta, mostraron una significativa reducción de los síntomas de esta enfermedad, como los escalofríos, sudoración, dolor de garganta, dolor muscular y dolor de cabeza. No hubo ninguna mejoría en los otros dos grupos. Además de demostrar la efectividad de la equinácea, este estudio también demostró la importancia de ingerir la dosis adecuada.

La Equinácea y las infecciones fúngicas

Las infecciones fúngicas recurrentes, muy difíciles de tratar, suelen rendirse frente a la equinácea. A través de un importante ensayo clínico, diversos investigadores trataron a 203 mujeres, que padecían de infecciones fúngicas vaginales crónicas, con dosis orales de equinácea o medicación consistente en cremas tópicas anti fúngicas. El grupo que fue tratado con la hierba obtuvo resultados 3,5 veces mejores que los del grupo que fue medicado. Solo el 16,7 % del grupo tratado con esta hierba volvió a padecer este tipo de infección en contraste con el 60,5 %, del grupo medicado, que sí volvió a sufrirla. Esta planta también estimula el funcionamiento de todo el sistema inmunológico femenino. Con lo cual, podemos afirmar que se ha logrado un descubrimiento importante, dado que la recurrencia de esta clase de infecciones resultan sumamente molestas, por decir lo menos, además de comprobarse que no siempre responden al tratamiento convencional. Por ello, podemos concluir que la equinácea no solamente trata los síntomas que producen este tipo de infecciones, sino que además fortalece la respuesta inmune del organismo, favoreciendo la pronta recuperación del paciente.

LA EQUINÁCEA Y LOS NIÑOS

Como todos sabemos, una vez que el niño comienza su vida escolar, empieza a sufrir resfriados, gripes o infecciones al oído. Esto es completamente natural, dada la proximidad entre los niños y la inmadurez de su sistema inmunológico, que aún no reconoce mucho de los patógenos más comunes. Una excelente medida de prevención, durante la estación de la gripe y el resfriado consiste en una dosis diaria de equinácea. Los niños prefieren una solución que contenga glicerina o un té, que deberán ser administrados dos o tres veces al día. Se recomienda un descanso de dos días cada 8 semanas. Una de mis pacientes trajo consigo a su niño de 5 años, quien venía contrayendo cada uno de los virus y microbios que llegaban a la escuela y luego se los contagiaba a ella. Le sugerí la solución con glicerina para el niño y la que contenía alcohol para ella. Ambos permanecieron totalmente sanos durante el resto de la estación.

SEGURIDAD Y DOSIFICACIÓN

La equinácea ha demostrado ser bastante segura, incluso cuando es tomada en dosis extremadamente altas. Los efectos secundarios son raros y usualmente se limitan a síntomas gastrointestinales menores, aumento de la orina, o leves reacciones alérgicas.

La dosis típica del extracto de equinácea en polvo es 300 mg, tres veces al día. La solución que contiene una parte de equinácea y cinco partes de alcohol debe ser ingeridas en una dosis de 3 a 4 miligramos tres veces al día; el zumo de equinácea en una dosis de 2 a 3 ml también tres veces diarias; y una raíz seca entera de 1 a 2 gramos tres veces diarias. La equinácea debe ser ingerida, usualmente, al primer signo de resfriado y el tratamiento debe tener una duración de siete a catorce días. También puede ser tomada, como medida de precaución, diariamente durante dos meses, dejando dos días libres. Esta pausa es recomendada para que el cuerpo no se acostumbre demasiado a la hierba y no se reduzca su efectividad.

Escogiendo un suplemento de Equinácea

Muchos herbolarios consideran que la equinácea, en su forma líquida, es mucho más eficaz que en tabletas o cápsulas. Algunos creen que parte de los beneficios que produce esta planta pueden deberse al contacto directo con las amígdalas. Las formas líquidas también pueden contener una mayor cantidad de ingredientes activos, o es también posible que dichos ingredientes se absorban mejor a través de esa forma.

Con mucha frecuencia la equinácea es combinada con otra planta llamada Sello de Oro (*Hydrastis canadensis*) en preparaciones frías. Tal parece que el principal ingrediente de esta hierba, la berberina, activa el funcionamiento de los glóbulos blancos.

Precauciones

La Comisión E Alemana advierte contra el uso de la equinácea en casos de tuberculosis o desórdenes autoinmunes, tales como la esclerosis múltiple (EM) o el lupus. Estas precauciones se sustentan en el riesgo de que esta planta pueda sobreestimular el sistema inmunológico. Se advierte también que la equinácea no debe ser usada por personas que padezcan el Síndrome de Inmunodeficiencia Adquirida (SIDA). Sin embargo, dosis muy moderadas podrían ser empleadas solo en las etapas iniciales de esta enfermedad para luchar contra las infecciones que suelen acompañarla. La equinácea es segura para mujeres embarazadas y no se conocen interacciones con drogas.

Vengo recomendando el uso de esta planta a mis pacientes y sus familias y yo también la uso desde hace varios años. Ahora bien, el uso de esta poderosa hierba no le garantiza que nunca más vuelva a contraer un resfriado. Sin embargo, usada correctamente, puede prevenir la aparición de infecciones y acortar la duración y la severidad de la dolencia. Cabe resaltar que, pese a no ser un remedio rápido, usada adecuadamente a través del tiempo, puede incrementar la natural resistencia del organismo frente a las infecciones bacteriales, fúngicas y virales.

3

El Ajo

Desde hace, por lo menos, 5 mil años, los seres humanos vienen cultivando ajo, y hoy es posible encontrar esta medicina herbal en cualquier lugar del mundo, desde la Polinesia a Siberia. Hacia el final del primer siglo Dioscórides, Hipócrates, y otros antiguos médicos griegos recomendaban el ajo para tratar distintas dolencias, tales como problemas respiratorios, parásitos, y digestión dificultosa.

Actualmente, es usado para tratar, principalmente, problemas cardíacos, endurecimiento de las arterias, alta presión arterial, y altos niveles de colesterol y trigliceridos. El ingrediente activo principal del ajo es el allicin, un componente que contiene sulfuro, que luego el organismo transforma en distintos componentes terapéuticos. El allicin solo puede encontrarse en los productos derivados del ajo producidos aplastando la vulva

fresca, más no en aquellos producidos a través de la destilación del vapor del aceite.

REVIRTIENDO LAS ENFERMEDADES CARDIACAS

Se ha demostrado que el ajo es muy útil al momento de prevenir la arterioesclerosis, el peligroso endurecimiento de las arterias que genera alta presión arterial, dolencias cardíacas y derrames. Numerosos estudios con animales y humanos evidencian la efectividad del ajo para tratar la arterioesclerosis. Se ha comprobado que esta planta reduce el tamaño de los depósitos de placas, material "duro" que atasca y entumece las arterias, en casi el 50% de los humanos, ratas y conejos. Y en un experimento reciente, realizado con 200 hombres y mujeres durante un periodo de 2 años, todos aquellos que consumieron 300 mg o más de ajo, diariamente, mejoraron la flexibilidad de la aorta, la arteria principal que conduce la sangre hasta el corazón. Se ha verificado que el extracto de ajo reduce la presión sanguínea en los perros y las ratas, y numerosos estudios con animales han demostrado que también puede reducir la coagulación de la sangre.

Todo ello nos demuestra que el uso de esta planta resulta sumamente eficaz para combatir los problemas arteriales.

Cómo reducir el colesterol

Los altos niveles de colesterol en la sangre y otros lípidos (grasas), tales como los triglicéridos, están relacionados con la alta incidencia de dolencias cardiacas.

De esta manera, los médicos recomiendan mantener bajos niveles de colesterol y triglicerios. Otro asunto importante es controlar la forma de colesterol denominada baja densidad de la lipoproteína (BDL) conocida como colesterol "malo" que daña las arterias. También es importante, mientras se disminuyen los niveles BLD, mantener un buen ratio de otra forma de colesterol, llamada alta densidad de lipoproteína (ADL), la que sí es una forma de colesterol "buena" que protege a las arterias.

Por lo menos, 28 estudios clínicamente controlados (estudios en los cuales se compara los efectos producidos por la administración de la droga, materia de análisis, y/o un placebo) han demostrado que el ajo disminuye, entre un 9% y un 12%, los niveles totales de colesterol, mientras incrementa de forma sustancial el ratio de buen colesterol en desmedro del malo.

En 1990, se llevó a cabo un estudio en Alemania, con 261 pacientes que recibieron 800 mg de ajo estandarizado o un placebo diariamente. Durante el transcurso de 16 semanas, los pacientes que recibieron el ajo experimentaron una caída del

12% en su nivel total de colesterol y del 17% en sus niveles de trigliceridos.

Otro ensayo clínico europeo encontró que el ajo podía ser tan efectivo como el Bezafibrate, droga prescrita para disminuir el colesterol, sin ocasionar los efectos secundarios que ésta última sí produce. Tal parece que esta planta, al igual que las drogas prescritas, funciona interfiriendo en la habilidad del organismo para manufacturar el colesterol. Ahora bien, no todos los estudios sobre esta hierba han demostrado que su uso produzca siempre los mismos niveles de beneficio. Se cree que estos resultados dispares obedecen a las distintas habilidades para manufacturar el colesterol que poseen algunos tipos específicos de ajo.

UN ANTIBIÓTICO NATURAL

Numerosos estudios, algunos de ellos que datan de la década del 40, han descubierto que el ajo posee poderosas propiedades antibióticas y antivirales. Así, conforme lo recomiendan importantes investigaciones científicas, las personas infectadas con el Síndrome de Inmunodeficiencia Adquirida (SIDA) vienen tomando ajo para prevenir infecciones bacteriales y fúngicas secundarias. También se emplea para tratar determinadas infecciones virales, fúngicas, intestinales, orales y la candidiasis vaginal. Cabe resaltar que el médico Albert Schweitzer empleó el ajo para luchar contra la disentería amébica en África. Estas propiedades antibióticas resultan más efectivas cuando se toma el ajo crudo o una preparación que contenga allicin, que actúa como un equivalente del mismo.

Recientemente, un grupo de científicos, en Etiopía, probaron el poder antibacterial de dos concentraciones (alta y baja) de extractos de ajo contra un número de bacterias comunes que causan la neumonía, tales como el *streptococcus pneumoniae* y la *klebsiella pneumoniae*. Dicho estudió encontró que ambas concentraciones, la alta y la baja, alcanzaron un ratio de respuesta del 88%, lo que significa, sin lugar a dudas, que el ajo inhibe el crecimiento de ambos organismos. Con lo cual los investigadores concluyeron que esta planta puede ser usada como un agente antibacterial muy potente para eliminar estos microorganismos patógenos.

Otro grupo de investigadores obtuvo resultados igual de promisorios en un experimento científico destinado a probar el uso del allicin contra una resistente bacteria resistente a los antibióticos, llamada VRE (vancomycin-resistente enterococcus). El allicin logró detener el crecimiento y proliferación del VRE en cultivos de células experimentales, lo que demostró que podía inhibir a la bacteria. Dichos investigadores sugirieron que aquellos individuos que se encontraban en alto riesgo de contraer infecciones resistentes a los antibióticos, como aquellos que poseen un sistema inmunológico limitado o aquellos que están por ingresar en un ambiente hospitalario rico en gérmenes pueden usar un suplemento de ajo para prevenir cualquier tipo de infección.

Por otro lado, cuando los investigadores de la Universidad de Toronto expusieron células humanas cultivadas, infectadas con malaria, a una mezcla elaborada con disulfides, componentes encontrados en el ajo, éstos últimos acabaron rápidamente con los parásitos de la malaria. Los autores del estudio creen que los ingredientes que esta planta posee interfieren con una enzima clave que permite que los parásitos de la malaria infecten la sangre humana.

LOS EFECTOS ANTI CANCERÍGENOS

El mismo equipo de investigadores canadienses involucrados en el estudio de la malaria también reveló que los componentes disulfides del ajo son igualmente efectivos para proteger a los humanos de las células cultivadas de melanoma (cáncer). Los científicos especulan que la misma enzima implicada en la expansión de la malaria en las células sanguíneas humanas también está relacionada con el fortalecimiento de las células cancerígenas para que estas puedan reproducirse. Dicho estudio demostró que el ajo interfiere con esta enzima frenando la expansión del melanoma.

Muchos otros estudios, extensos y detallados, sugieren enfáticamente que las dietas con alto contenido de ajo pueden prevenir el cáncer, especialmente los de colón, esófago y estómago. En un ensayo clínico, llevado a cabo en 1986, un grupo compuesto por 41.837 mujeres fue encuestado sobre sus hábitos de vida. Cuatro años después, el seguimiento de las respuestas vertidas reveló que aquellas mujeres cuya dieta incluía una cantidad significativa de ajo eran, aproximadamente, un 30% menos proclives a desarrollar cáncer de colón. Asimismo, otro estudio reciente ha mostrado que el ajo puede cortar el riesgo de contraer cáncer de próstata. Los investigadores sondearon los hábitos alimenticios de 238 hombres que padecían este tipo de cáncer y de 471 sanos en Shangai, China. Hallaron que el riesgo de padecer cáncer de próstata disminuía en más del 33% en aquellos hombres que consumían pequeñas cantidades de cebollas, ajo, cebolletas, chalotas, y puerros cada día. El ajo ha probado ser un agente anti cancerígeno particularmente potente: los hombres que consumen 2 gramos de ajo diariamente experimentan un descenso del 50% en el riesgo de sufrir esta clase de cáncer. Incluso consumiendo un diente de ajo al día se provee protección al organismo contra esta enfermedad. ¡Esta es definitivamente otra excelente razón para que usted empiece inmediatamente a comer ajo!

Escogiendo un suplemento de ajo

Consumir uno o dos dientes de ajo crudo al día debieran ser suficientes para obtener la mayor parte de beneficios para la salud que ofrece esta planta, pero muchas personas evitan comerla debido al mal aliento que produce. Por esta razón, muchas compañías venden sustitutos inodoros hechos del allicin del ajo. También existen cápsulas revestidas de suplementos de polvo de ajo (el revestimiento de la cápsula posterga la digestión de la tableta hasta que ésta pase desde el estómago a los intestinos). Para mantener la salud, 2500 mcg de allicin diario es suficiente, mientras que para fines terapéuticos serán necesarios, por lo menos, 5 mil mcg al día. ¡Anime a toda su familia y amigos a consumir ajo, de esta manera, nadie se percatará de su aliento!

Seguridad y dosificación

El único efecto secundario que resulta de tomar ajo es el característico y desagradable mal aliento. Incluso tomando un suplemento inodoro no se garantiza una total protección, dado que el ajo que se consume bajo esta forma produce un olor desagradable en más del 50% de los usuarios. Aunque en raras ocasiones, también se pueden producir nauseas, dolores de cabeza, sudoración, y mareos.

Precauciones

El ajo crudo, ingerido en dosis excesivas, puede causar numerosos síntomas molestos, tales como ardor de estómago, nauseas, molestias estomacales, vómitos, diarrea, flatulencias, enrojecimiento facial, aumento del pulso e insomnio. Si se aplica a la piel puede irritarla, abrasarla, e incluso quemarla.

Dado que el ajo adelgaza la sangre debe evitarse tomar píldoras de ajo con alta potencia antes de una cirugía o si ya se están tomando adelgazadores de la sangre recetados. Sin embargo, se presume que el consumo de esta planta es seguro para mujeres que están embarazadas o dando de lactar. Además, parece que el sabor del ajo es agradable para los lactantes.

4

GINKGO

Si lo que estamos es buscando un componente natural que ofrezca protección contra el envejecimiento, sin lugar a dudas, el ginkgo es nuestro mejor candidato. El Ginkgo biloba o ginkgo, como comúnmente se le conoce, es la hierba más recetada en Alemania, con más de 6 millones de prescripciones al año. Se usa, primordialmente, para tratar el debilitamiento de las facultades mentales, tales como la pérdida de la memoria en la vejez, y para afrontar una variedad de problemas circulatorios. Con más de 200 millones de años, el ginkgo es la especie arbórea más vieja que sobrevive en nuestro planeta. Más aún, los árboles individuales de esta especie pueden vivir ¡más de mil años! Las hojas de esta planta poseen doble lóbulo a ello obedece su nombre "biloba". Los ingredientes activos responsables de los beneficios que produce el ginkgo para la salud son dos componentes

únicos denominados glucósidos del flavone y los ginkgo lides. Casi todos los estudios con esta hierba han sido hechos usando un extracto de hoja estandarizado con 24% de glucósidos del flavone y 6% de ginkgo lides. Estas sustancias son potentes antioxidantes, de alguna manera, similares a los flavonoides encontrados en las frutas y los vegetales que se unen a los radicales libres para transformarlos en menos dañinos y prevenir el daño celular.

EL GINKGO COMO ANTIOXIDANTE

Los radicales libres son una importante fuente de enfermedad y envejecimiento. Dichos radicales son moléculas inestables que dañan las células, su DNA o su contenido congénito. Estos peligrosos radicales son un producto normal de nuestro metabolismo y, en menor medida, producto de las toxinas causadas por el cigarrillo, el monóxido de los autos, los pesticidas y otros químicos que se encuentran en el aire, la comida y el agua. Pueden ser neutralizados por los *antioxidantes*, componentes que enlazan a los radicales libres, para hacerlos menos dañinos. Muchas plantas, incluido el ginkgo, poseen propiedades antioxidantes que las protegen de los estragos de la naturaleza, tales como los intensos rayos solares, sequías y plagas. Las propiedades antioxidantes del ginkgo, básicamente, consisten en un mecanismo por el cual se protege el cerebro, los vasos sanguíneos, y el sistema circulatorio en general.

EL GINKGO Y EL ALZHEIMER

Se ha demostrado que el ginkgo fortalece la circulación de la sangre al cerebro y el fluido del oxígeno. Por ello se prescribe a los ancianos que padecen del debilitamiento de sus funciones mentales generado por el Alzheimer o por una deficiente circulación hacia el cerebro.

El Alzheimer (también denominado "demencia senil del tipo Alzheimer") es una enfermedad crónica que produce una degeneración neurológica progresiva. Actualmente, esta dolencia afecta a más de 4 millones de personas en los Estados Unidos, y representa el 60% de todos los casos de demencia. El Alzheimer, comúnmente, aparece después de los 50 años y a partir de los 65 años en adelante el riesgo de contraerlo se dobla cada cinco años.

Una revisión de más de cuarenta estudios, publicados en revistas médicas muy respetadas como *The Lancet,* concluyeron que el extracto de ginkgo constituye un tratamiento muy efectivo contra la demencia y resulta especialmente beneficioso cuando es proporcionado a los pacientes a la primera aparición de los síntomas. A través de un experimento clínico, cuyos resultados fueron más tarde publicados, un grupo de científicos alemanes le proporcionaron una dosis de 120 mg de ginkgo, diariamente, a veinte pacientes de la tercera edad que exhibían varios síntomas tempranos de demencia. Los resultados fueron contundentes, y los pacientes que recibieron ginkgo mostraron impresionantes mejoras, en múltiples pruebas clínicas, en contraste con aquellos que recibieron un placebo.

En 1996, a través de un extenso estudio, investigadores alemanes probaron el extracto de ginkgo en un grupo de 222 pacientes, de cincuenta y cinco años o más, diagnosticados con demencia leve o moderada, causada por el Alzheimer o por demencia de multiinfarto. A dichos pacientes se les dio 240 mg de extracto ginkgo biloba dos veces al día, antes de las comidas o un placebo durante seis meses. Al finalizar el estudio, se reportó que aquellos que recibieron ginkgo presentaron una mejora total considerable, incluyendo un incremento de 300% en la memoria y la atención, en comparación con aquellos que solo recibieron las píldoras placebo. Los investigadores concluyeron su reporte afirmando que, en casos de demencia, el extracto de ginkgo puede mejorar la calidad de vida del paciente, preservando su independencia y posponiendo la necesidad de una costosa asistencia externa permanente.

En 1997, un nuevo estudio elaborado por Le Bars y publicado en el *Journal of the American Medical Association (JAMA)* presentó los resultados de un ensayo clínico seleccionado al azar, de un año de duración, sobre los efectos del ginkgo en las funciones mentales. En dicho estudio, más de 300 pacientes recibieron 40 mg de extracto de ginkgo o un placebo tres veces al día. Los que consumieron el ginkgo mostraron mejoras en distintos niveles, algunas bastante significativas. Sin embargo, lo más importante es el hecho de que la mayoría de estos pacientes no continúo la senda de deterioración continua de sus funciones mentales, mientras que los que recibieron el placebo sí lo hicieron.

En el 2002, investigadores de la Colaboración Cochrane de la Universidad de Oxford en Inglaterra revisaron y evaluaron procesos clínicos humanos con extractos concentrados y estandarizados de la hoja de ginkgo. Dichos científicos se concentraron en treinta y tres estudios clínicos que consideraron de respetable diseño, tamaño y calidad; la mayor parte de ellos tuvo una duración de doce semanas (pero algunos duraron entre tres a cincuenta y dos semanas). El grupo concluyó, refiriéndose al extracto herbal, que "su uso parece seguro sin que se produzca efectos secundarios en exceso", y "existe evidencia promisoria de la mejora en la cognición y el funcionamiento mental asociados al ginkgo".

EL GINKGO Y LA MEMORIA EN ADULTOS DE LA TERCERA EDAD

Evaluando la cobertura periodística de cualquier investigación científica, usted debe darse cuenta que los medios, usualmente, sacan la información fuera de contexto y logran presentar los hechos como blancos o negros, a fin de generar un mayor impacto en el público. Aquí tenemos un ejemplo clásico de este tipo de conducta: Un estudio en el 2002, elaborado por Solomon y colegas, y publicado por la *American Medical Association* establecía no fortalecía la memoria ni mejoraba las habilidades cognitivas en adultos sanos mayores de 60 años. Este estudio evaluado de control de placebo, de seis semanas de duración, evaluó las capacidades de aprendizaje, memoria, atención, concentración y fluidez verbal de adultos sanos, usando una dosis de 120 mg de extracto de ginkgo por día.

La verdad es que este estudio poseía una serie de defectos, puesto que los hechos han demostrado fehacientemente que el ginkgo es sumamente valioso para tratar la demencia, y, además, existe evidencia concreta de su éxito al emplearse en adultos sanos de la tercera edad. Otro estudio similar, llevado a cabo por Mix y Cews en el mismo año, y publicado en *Human Psychopharmacology*, usó una población similar, pero elevando la dosis (180 mg por día) de ginkgo. Dicho estudió mostró significativos beneficios en la capacidad memorística y en otras habilidades mentales de los pacientes evaluados. Desafortunadamente, el lector promedio lee por encima los titulares y acepta como un hecho que el ginkgo no funciona para mejorar ningún tipo de deficiencia en la memoria. Finalmente, la pérdida es para el público que podrían beneficiarse ingiriendo este remedio exitosamente probado.

EL GINKGO MEJORA EL DESEMPEÑO DE LOS CEREBROS JÓVENES

Numerosos estudios han demostrado como el ginkgo mejora las funciones cerebrales en gente joven incrementando el fluido de sangre al cerebro; esto es, mejorando el proceso a través del cual las células cerebrales se nutren. Aquellos estudiantes que usan ginkgo en las mañanas, antes de ir a la escuela a rendir un examen, notan una considerable mejora en su habilidad para recordar información. Para este propósito concreto, parece que esta planta funciona mejor cuando se toma una dosis cargada justo antes de ser necesitada que cuando se emplea por un período largo. Este potenciamiento de la memoria y la concentración, por un período corto, en la gente joven, también ha sido confirmado a través de electroencefalogramas que miden las ondas cerebrales.

EL GINKGO Y LA DEPRESIÓN

Tal parece que el ginkgo alivia la depresión, problema muy grave que afecta a 17 millones de americanos. Cuando un grupo de investigadores alemanes empezaron a tratar a 40 pacientes deprimidos con 80 mg de ginkgo tres veces al día, reportaron una reducción del 68% en la severidad de la dolencia, después de ocho semanas de tratamiento. En general, los pacientes se mostraron más felices, optimistas y motivados. Como resultado directo de los impresionantes efectos del ginkgo sobre la depresión, el Ministro Alemán del Comité de Salud para los Remedios Herbales ha aprobado el uso del extracto de ginkgo para mejorar el estado de ánimo y los procesos mentales.

EL GINKGO FORTALECE EL FLUJO SANGUÍNEO

El ginkgo potencia y mejora el funcionamiento general del sistema circulatorio. Uno de los más grandes beneficios de esta planta sobre la salud humana está relacionado con su habilidad para incrementar el fluido de la sangre (y la entrega de oxígeno) a través de todo el cuerpo, lo cual repercute en el funcionamiento de los vasos sanguíneos y en el factor activador de la plaqueta (PAF). También ha demostrado ser muy efectivo en el fortalecimiento de los vasos sanguíneos debilitados, mientras restaura algo de la elasticidad que las venas, comúnmente, pierden con la edad.

Varios estudios en seres humanos y animales han corroborado que el ginkgo es bastante más efectivo que muchas drogas estándar cuando se trata de relajar las arterias y mejorar la circulación de la sangre. Mediante uno de los tantos procesos, realizados con humanos, los investigadores compararon el uso de esta planta con el de drogas estándar para tratar la vasoconstricción (constricción de los vasos sanguíneos). Veinticinco de los pacientes fueron tratados con ginkgo y otros trescientos recibieron medicación tradicional. Midiendo el aumento de la dilatación arterial en el dedo gordo del pie de los voluntarios, los estudiosos pudieron determinar que las drogas comunes incrementaban en un 39% dicha dilatación, mientras que el ginkgo lo hacía en un 44%.

El Ginkgo y la claudicación intermitente

Otros beneficios adicionales relacionados a la habilidad del ginkgo para aumentar el fluido sanguíneo incluyen la curación de una dolencia denominada *claudicación intermitente.* Este dolor en la pierna, que la deja inutilizada y es difícil de tratar, es causado por gruesos depósitos de placa ubicados en las arterias periféricas. Después de alrededor de seis semanas de tratamiento, empleando ginkgo, se observa una marcada mejoría. Conforme a la Comisión E alemana, por lo menos, dos experimentos doblemente ocultos han demostrado que el ginkgo puede incrementar la distancia que el sujeto podrá recorrer sin sentir dolor de 25 a 150 metros. Dicha Comisión y la Organización Mundial de la Salud han aprobado el empleo de esta planta como un reconocido tratamiento para aliviar esta enfermedad y otras relacionadas a ella.

EL GINKGO INHIBE EL PAF

Otras de las maneras en las que el ginkgo ayuda a mejorar la circulación es a través de la inhibición del PAF (Factor Activador de la Plaqueta), componente que ya hemos mencionado anteriormente y que normalmente ayuda al cuerpo a formar coágulos a fin de minimizar la pérdida de sangre ocasionada por las heridas. Desafortunadamente, dosis excesivamente elevadas de PAF producen el engrosamiento de la sangre, aumentando el trabajo del corazón, mientras que restringen el fluido sanguíneo a través de todo el cuerpo. Se atribuye el exceso en la producción del PAF a diversos factores que responden a nuestro estilo de vida moderno, tales como el estrés, una dieta alta en grasas procesadas (hidrogenadas), y una exposición crónica a los alergénicos. El PAF también aumenta la producción de radicales libres, generando inflamación y un incremento en la formación de coágulos sanguíneos (trombosis), lo que está directamente relacionado con las dolencias cardiacas, los derrames y las enfermedades vasculares periféricas, como la claudicación intermitente antes referida. El ginkgo mejora la circulación y ayuda a mantener libre el fluido de la sangre, inhibiendo el PAF. Ello fortalece la entrega de oxígeno al cerebro y el sistema nervioso central, mientras se reduce el riesgo de que se formen los referidos coágulos y los espasmos coronarios arteriales, que pueden producir ataques al corazón.

GINKGO Y LA TENSIÓN ARTERIAL ALTA

La presión arterial elevada (hipertensión) amenaza, aproximadamente, a un 25% de la población. La hipertensión está asociada a la arterioesclerosis, la enfermedad renal por hipertensión, los derrames, el paro cardiaco congestivo, y los infartos al miocardio (ataques al corazón). Investigadores japoneses hallaron que el extracto de ginkgo reducía significativamente la presión sanguínea en ratas hipertensas, después de veinte días de tratamiento. Asimismo, dichos investigadores pudieron notar que no se había producido un aumento en el tamaño del corazón, lo que usualmente ocurre como producto de la presión arterial elevada permanente. Cabe destacar que el ginkgo solo normaliza la presión arterial que ha sufrido un incremento anormal, pero no genera ningún efecto en aquellos animales que gozan de niveles de presión normales.

EL GINKGO PROTEGE LOS TEJIDOS DEL CORAZÓN

La muerte repentina del tejido cardiaco es la principal causa de muerte en los Estados Unidos. Esta ocurre cuando el corazón no obtiene la cantidad de oxígeno y sangre necesaria para contraerse apropiadamente y mantener el bombeo de la sangre para irrigar el resto del cuerpo. Se ha demostrado que el ginkgo protege al corazón, reduciendo la presión arterial, la formación de coágulos sanguíneos e incrementando la circulación a los tejidos del corazón. De acuerdo a un estudio publicado en *Biochemistry and Biology International*, también protege a dichos tejidos del daño agudo ocasionado por la falta de oxígeno, después de un ataque al corazón, mientras ayuda a los tejidos que han sido dañados a curarse de los efectos producidos por la privación de oxígeno.

Asimismo, un amplio espectro de investigaciones muestra que el ginkgo también puede prevenir la arritmia, una interrupción, potencialmente fatal, del ritmo normal del corazón. En uno de los

experimentos llevados a cabo, después de que los científicos indujeran, en un grupo de ratas, ataques al corazón, el ginkgo protegió a los tejidos del corazón del daño causado como consecuencia de una prolongada falta de oxígeno de más de cuarenta minutos. Más aún, previno la aparición de arritmias, las que normalmente se producen a raíz de los desbalances químicos y eléctricos que siguen a un ataque de esta naturaleza.

El Ginkgo y la función sexual

La impotencia masculina, usualmente, obedece a una pobre circulación en el área pélvica. Dado que el ginkgo aumenta la circulación general, también ayuda a la función sexual. A través de un importante estudio, en el que se evaluó a un grupo de hombres impotentes, que recibieron 60 mg de extracto de ginkgo durante seis meses, se halló que esta planta podía ser efectiva para mejorar la disfunción eréctil. Por otro lado, el *Journal of Urology* reportó un segundo estudio exitoso que implicaba a sesenta hombres que no habían respondido previamente a la papaverina, un inyectable recetado médicamente para tratar la disfunción sexual masculina. Los investigadores sugieren que el ginkgo trabaja estimulando la liberación de óxido nítrico (ON), el que dirige la dilatación de los vasos sanguíneos para lograr y mantener una erección.

El ginkgo también ha demostrado ser un tratamiento idóneo para tratar problemas sexuales surgidos por el uso de los antidepresivos más comúnmente recetados, particularmente aquellos que funcionan como inhibidores selectivos de la reabsorción de serotonina (ISRS). Un grupo de treinta hombres y treinta y tres mujeres, que sufrían de efectos secundarios sexuales, que iban desde la disminución de la libido y dificultades eréctiles hasta la postergación o inhibición del orgasmo, recibieron extractos de ginkgo, en dosis que oscilaban entre los 80 a los 120 mg diarios. Después de solo cuatro semanas, el 84% de los pacientes reportaron resultados positivos en todas las fases del ciclo de respuesta sexual. Un punto que cabe resaltar en este estudio es que las mujeres respondieron mejor que los hombres, con un 91% de mujeres reportando mejoras en su conducta sexual, en comparación al 76% de los hombres.

El Ginkgo y los problemas de audición y visión

La degeneración macular relacionada a la edad está entre las causas principales de la pérdida de la visión. Se cree que el ginkgo puede aliviar este y otros problemas de la visión, como el glaucoma, cataratas, y la retinopatía diabética, previniendo el daño producido por los radicales libres y fortaleciendo la entrega de sangre y oxígeno a la retina a fin de reparar los tejidos.

Mediante una revisión sistemática de diecinueve estudios clínicos se halló que el extracto de ginkgo ofrecía una considerable reducción de los síntomas del tinnitus, particularmente si el tratamiento había comenzado tan pronto como los primeros síntomas fueron detectados. A través de un nuevo experimento clínico, investigadores franceses detectaron que cuando los pacientes que padecían tinnitus fueron tratados con extracto de ginkgo, el 40% de ellos experimentó un alivio notorio de los síntomas, mientras que otros reportaron distintos niveles de beneficio.

Se ha demostrado que dicha planta ayuda a controlar el vértigo y los mareos, fomentando el fluido sanguíneo, para que así el cerebro pueda agudizar la recepción y evaluación de la información sensorial. Al momento en que un conjunto de investigadores empezaron a tratar a 70 pacientes que sufrían de vértigo con 160 mg de extracto de

ginkgo, una vez al día, durante tres meses, dichos pacientes presentaron mejoras en lo que respecta a la intensidad, frecuencia y duración de los síntomas del vértigo. Estas mejoras fueron prontamente notadas al mes y, al final del estudio, el 47% de los pacientes tratados con el referido extracto estaban completamente libres de los mencionados síntomas. Basados en el gran éxito de estos estudios, queda claro que el extracto de ginkgo debe tomarse al primer signo de vértigo o de problemas con el balance.

Dosis recomendada

La dosis típica de ginkgo es de 40 a 80 mg tres veces diarias de un extracto compuesto de cincuenta partes de alcohol y una parte de ginkgo estandarizada para contener 24% de los glucósidos flavona del ginkgo. Probablemente, usted deberá tomar suplementos, durante seis semanas, antes de percibir resultados, así que no se rinda demasiado pronto. Tratándose de ciertas dolencias, como la enfermedad vascular periférica, el tinnitus, y los mareos, la dosis recomendada es más alta, 80 mg dos veces al día o 40 mg cuatro veces diarias.

El ginkgo es muy seguro. Se han administrado dosis extremadamente altas a ciertos animales sin que produzcan consecuencias serias. Se ha demostrado que esta planta no es tóxica para el hígado o los riñones y tampoco ha obstaculizado la formación de nuevas células sanguíneas. No obstante, aún no se tienen pruebas respecto a su seguridad en mujeres que estén dando de lactar o se encuentren en estado de gestación.

En todos los procesos en los que se ha empleado ginkgo, sobre un total de casi 10 mil pacientes, la incidencia de efectos secundarios causados por el extracto de esta planta es extremadamente pequeña, con solo unos pocos casos de náuseas, acidez estomacal, leve dolor de cabeza tensional, mareos, y reacciones alérgicas de la piel. Sin embargo, sobredosis masivas de ginkgo pueden generar agitación, inquietud, y dolor gastrointestinal.

Conforme a la Comisión E alemana, las autoridades médicas de ese país no creen que el ginkgo interactúe seriamente con ninguna droga. Pese a ello, debido a los efectos adelgazantes de esta planta, algunas de dichas autoridades advierten que esta no debe ser combinada con anticoagulantes e incluso tampoco con aspirinas.

A través de publicaciones médicas, se han reportado dos casos de hematoma subdural (sangrado en el cráneo) e hifema (sangrado espontáneo dentro de la cámara del iris) asociados al uso del ginkgo. No obstante, si este riesgo es considerable, resulta muy extraño que no se hayan observado efectos secundarios similares en un gran número de pacientes que participaron en los procesos de investigación de esta hierba y que la han venido usando durante años en Alemania.

5

EL GINSENG Y
LOS ELEUTEROCOCOS

A través de un uso continuo por más de 2 mil años, el gingseng ha sido llamado "el rey de los tónicos". Esta hierba restaura la energía vital a través de todo el cuerpo humano, ayudando a superar el estrés y la fatiga. Actualmente existen tres tipos de hierbas comúnmente conocidas como ginseg: El ginseng asiático (*Panax ginseng*); el ginseng americano (*Panax quinquefolius*); y el ginseng siberiano *(Eleutherococcus senticosu)*, este ultimo no es estrictamente ginseng pero posee propiedades casi idénticas. En efecto, ahora se exige que en las etiquetas figure solo como *Eleutherococcus senticosus*.

El ginseng asiático es un arbusto perenne de hojas caducas que crece en la China septentrional, Corea y Rusia. Si nos centramos en los términos tradicionales chinos, tenemos que a esta hierba se le conoce más como *yang*, o lo que es lo mismo, estimulante. Dado que aumenta la temperatura del cuerpo, mejora la digestión, fortalece los pulmones, y calma el espíritu. El ginseng asiático es un pariente cercano del americano, aunque este último es muy exportado al Asia, donde se le conoce como hierba *yin,* menos térmico, menos estimulante, y más balanceada que el ginseng asiático. Los ingredientes activos del ginseng se denominan ginsenoides y existen muchos diferentes, cada uno de ellos con sus propios efectos. Se han producido dos revisiones importantes de las investigaciones llevadas a cabo con esta hierba, evaluando treinta y siete experimentos realizados entre 1968 y 1990, que analizaron un total de 2,562 casos, con tratamientos cuya duración era de dos o tres meses. En trece de estos estudios, los pacientes demostraron una mejora en su estado de ánimo, y en once de ellos, mejoras en su desempeño intelectual. Cabe resaltar que se produjo una total ausencia de efectos secundarios en todos los casos.

El *Eleutherococcus senticosus* crece, primordialmente, en China y Siberia. Un grupo de científicos rusos condujo el primer experimento moderno con esta planta en la década de 1940. Dicho estudio concluyó que el *eleuthero* era tan efectivo como el ginseng asiático, con el beneficio adicional de ser, sustancialmente, más barato.

Mientras que cada tipo de ginseng ofrece un abanico único de posibilidades, todos ellos incrementan la resistencia al estrés, potencian la alerta mental, mejoran la estamina (energía) y el sistema inmunológico y se conocen como adaptógenos.

EL PODER DE LOS ADAPTÓGENOS

Los adaptógenos son un grupo de notables sustancias que ayudan al cuerpo a adaptarse al estrés originado por diversas causas, como la exposición a temperaturas extremas, la radiación y las toxinas. Asimismo son muy efectivos ayudando al cuerpo a sobrellevar el estrés derivado del esfuerzo físico, la privación del sueño, infecciones y traumas físicos y psicológicos. El respeto por los beneficios derivados del uso de estas sustancias se remonta, miles de años atrás, a la China. Sin embargo, los estudios científicos serios recién se iniciaron en la década de 1950, cuando los científicos soviéticos empezaron a investigar los adaptógenos con el propósito de ayudar a los soldados a combatir el estrés, reducir la enfermedad, construir y mantener una musculatura sólida y aumentar su capacidad de resistencia. Se ha comprobado, además, que resultan especialmente efectivos ayudando al cuerpo a retornar a un estado saludable de balance (homeostasis) luego de un periodo de estrés. Por ejemplo, cuando la presión arterial sube o baja demasiado, un adaptógeno puede normalizarla. Con frecuencia se identifica, erróneamente, al ginseng como un estimulante, cuando la verdad es que se trata de un verdadero adaptógeno que trabaja a través del tiempo para mantener la salud.

TÓNICO ANCESTRAL PARA EL ESTRÉS MODERNO

Tal parece que el ginseng nos protege frente a ese preocupante problema de la salud, derivado de la vida moderna, que es el famoso estrés. Además de sus efectos adaptogénicos, esta hierba también estimula la mente, aumenta el desempeño físico, fortalece el sistema inmunológico, y ayuda a las hormonas a regular mejor las funciones del cuerpo. También protege al hígado, el que debe ser tomado en cuenta por su habilidad para procesar rápidamente el alcohol en el cuerpo. Adicionalmente, incrementa los niveles de oxígeno en las células y los tejidos del cuerpo para aumentar la resistencia física, la capacidad de alerta y la coordinación visual-motora. Los efectos de esta planta sobre las funciones cerebrales hacen idónea su utilización para los ancianos. Para lograr el máximo efecto, se sugiere combinarla adecuadamente con el ginkgo.

El ginseng, especialmente el eleuthero, potencia la actividad de las glándulas adrenales, que regulan el estrés y proveen la energía necesaria para una "respuesta de lucha o huída" frente al mismo. Cuando nos enfrentamos a una emergencia real, dicha respuesta puede salvar su vida. No obstante, cuando estamos sobre estresados nuestras adrenales continúan liberando adrenalina y cortisona, y, en un determinado momento, la sobre estimulación adrenal puede conducirnos al agotamiento. Una consecuencia muy seria del agotamiento adrenal es la caída aguda de la capacidad de respuesta de nuestro sistema inmunológico, con lo cual se nos deja más vulnerables a contraer resfriados, gripes e, incluso, enfermedades más serias. Se estima que, por lo menos, el 80% de las visitas al médico se deben a enfermedades relacionadas con el estrés, como las dolencias cardiacas, la alta presión arterial y el cáncer. En consecuencia, la reducción del estrés debe convertirse en una prioridad cuando hablamos de cuidar nuestra salud.

El Ginseng potencia
la función inmunológica

Existe evidencia clara respecto a la capacidad del ginseng como potenciador de la función inmunológica del cuerpo. Mediante un estudio controlado, 227 personas ingirieron 100 mg de una dosis de ginseng o de un placebo. Después de cuatro semanas, todos los pacientes fueron inyectados con una vacuna de gripe. Aquellos que recibieron el ginseng presentaron una menor incidencia de resfriados y gripes en comparación al grupo que recibió el placebo (15 casos contra 42). Los investigadores también descubrieron que la aparición de anticuerpos, en respuesta a la vacunación, fue mayor en el grupo que ingirió dicha hierba.

El Ginseng mejora la memoria en los pacientes con derrame cerebral

Recientes investigaciones en China han hallado que esta planta protege y mejora la memoria en aquellos pacientes que han sufrido un derrame cerebral previo. La demencia o pérdida de la memoria, es bastante frecuente en ancianos, más aún si han padecido un derrame o apoplejía, y representa un problema cada vez mayor entre la población de la tercera edad alrededor del mundo. Como ya hemos mencionado, el ginseng viene usándose en China desde hace miles de años para tratar enfermedades relacionadas con la senectud, pero no se contaba con pruebas que demostraran los beneficios de su empleo para curar la demencia leve o moderada en seres humanos.

Los investigadores escogieron, al azar, veinti cinco pacientes que habían sufrido un derrame y padecían demencia leve o moderada y decidieron tratarlos con dosis de ginseng tres veces al día. Al inicio del estudio, los participantes rindieron exámenes de memoria, para medir la capacidad de recordar inmediata y retardada, la memoria verbal retardada, el aprendizaje verbal, el reconocimiento verbal, y el reconocimiento visual y volvieron a ser evaluados doce semanas después. En términos generales, se reportó que aquellos pacientes que recibieron el ginseng mostraron una mejora significativa en sus records promedio de memoria. Dicho estudio comprobó, también, que esta hierba incremente, efectivamente, la actividad de la *acetylcholine* y del *choline acetyltransferase* (ChAT), dos importantes neurotransmisores (mensajeros químicos) relacionados con la cognición y la memoria.

EL GINSENG Y LA DEMENCIA POST-DERRAME CEREBRAL

Un segundo experimento clínico demostró que el ginseng era superior a una droga, que potencia la cognición, recetada para mejorar la memoria en aquellos pacientes que padecen de demencia como resultado de un derrame. A través de este estudio se analizó a cuarenta pacientes (veintiseis hombres y catorce mujeres) que fueron diagnosticados con demencia leve o moderada después de sufrir un derrame isquémico (causado por la falta de circulación). Asimismo, en un segundo proceso clínico controlado, doblemente oculto, veinticinco sujetos recibieron, al azar, dosis de ginseng mientras que otros quince fueron tratados con Duxil, durante varias semanas. El Duxil es una droga muy fuerte que incrementa la oxigenación de los

tejidos cerebrales con el propósito de tratar la demencia senil.

Los resultados de este estudio mostraron que el grupo tratado con ginseng experimentó mayores beneficios que el que ingirió la medicación, como mejoras considerables en la capacidad de recordar historias y palabras, en el aprendizaje verbal, y en la capacidad de reconocimiento visual y verbal.

Estos resultados se agregan a los descubrimientos obtenidos en estudios previos con animales. Dichos estudios hallaron que la referida hierba aumenta significativamente el aprendizaje y la memoria, luego de una isquemia cerebral transitoria. Esta última es un tipo de derrame muy común en los ancianos y se produce cuando se presenta una breve incidencia de reducción del fluido sanguíneo a una sección del cerebro, lo que genera pérdida de oxígeno y daño posterior. En este estudio también se comprobó, como ya lo habían hecho estudios precedentes, que el ginseng ayuda a incrementar la actividad de la *acetylcholine*, neurotransmisor cerebral clave para el funcionamiento de la memoria y el aprendizaje.

Adicionalmente, esta planta puede mejorar algunos aspectos de la función mental en hombres y mujeres sanos de mediana edad. Tal como se corroboró mediante un estudio de dos meses de duración, en el que se estudió las reacciones de 112 personas que recibieron ginseng o un placebo, aquellos que ingirieron ginseng mostraron una

81

clara mejoría en su habilidad para desarrollar el pensamiento abstracto.

EL GINSENG Y LA IMPOTENCIA

Un estudio reciente publicado en *The Journal of Urology* indica que esta planta puede mejorar la función sexual en hombres que sufren de impotencia. Por otro lado, los investigadores coreanos analizaron los efectos del ginseng en cuarenta y cinco hombres con disfunción eréctil a través de un ensayo clínico cruzado, doblemente oculto y al azar. A estos hombres se les recetó 900 mg de ginseng o placebo, tres veces al día durante ocho semanas. Después de un descanso de dos semanas, el tratamiento se prolongó por un periodo adicional de ocho semanas.

En el transcurso del tratamiento, los hombres que recibieron ginseng experimentaron un mayor deseo sexual, una mejor función eréctil y más satisfacción durante el coito que aquellos que recibieron un placebo. Asimismo reportaron un incremento en su habilidad para lograr y mantener una erección. En efecto, el 60% de los hombres tratados con ginseng afirmaron experimentar mejorías en sus erecciones, mientras que solo el 20% de los que tomaron placebo afirmaron lo mismo. Los autores de este estudio conjeturan que dicha hierba puede mejorar las erecciones al elevar la producción de óxido nítrico, una sustancia indispensable para lograrlas y mantenerlas.

EL GINSENG ES BENEFICIOSO PARA LOS DIABÉTICOS

Dado que los efectos adaptógenos de esta hierba ayudan a disminuir la presión arterial y a fortalecer la producción de insulina del páncreas, podría ser un remedio útil para ayudar a tratar la diabetes. Mediante un importante estudio se demostró que el ginseng ayuda a reducir los niveles de glucosa sanguíneos. Este estudio, llevado a cabo en la Universidad de Toronto en Canadá, con pacientes diabéticos, encontró que el ginseng americano (*Panax quinquefolius*) es el más efectivo para disminuir los niveles de azúcar en la sangre. Diez adultos sanos y nueve con diabetes tipo II, recibieron ginseng o un placebo, en cuatro ocasiones distintas, cuarenta minutos antes de una comida o durante la misma. Los niveles de azúcar fueron medidos en intervalos de quince a treinta minutos, durante dos horas, después de una de las comidas. Efectivamente, se pudo comprobar que, únicamente, los pacientes diabéticos que ingirieron esta planta, redujeron dichos niveles de azúcar, sin importar el que fuera tomada antes o durante una de las comidas.

Otros estudios similares con el ginseng corea-no (*Panax ginseng*) mostraron que éste estimula las secreciones de insulina en sujetos diabéticos y en aquellos que poseen una carga normal de glucosa, mientras que los sujetos no diabéticos, que consumían una dieta estándar no fueron afectados. Asimismo, a través de un ensayo clínico doblemente oculto, treinta y seis personas que padecían de diabetes del adulto recibieron dosis de 100 mg o 200 mg diarios, mostrando, posteriormente, mejores niveles de azúcar en la sangre.

El ginseng mejora los ratios del colesterol LDL hasta el HDL, con lo cual resulta idóneo para manejar y tratar las dolencias cardiacas y la presión arterial elevada, así como todos los aspectos concernientes a la diabetes y a otras enfermedades.

EL GINSENG Y LA RESISTENCIA FÍSICA

Expertos rusos demostraron como el *eleuthero* podía ser empleado, simultáneamente, para propósitos atléticos y para fortalecer la capacidad de trabajo. Esta sustancia se hizo muy popular entre los equipos rusos olímpicos, especialmente entre los corredores y los cargadores de peso. El ginseng siberiano se distribuyó ampliamente entre los escaladores de montañas, los marineros y los trabajadores de las fábricas, con lo cual se logró fortalecer su desempeño y reducir el número de bajas por enfermedad. Asimismo, se realizó otro experimento con radio-operadores, quienes incrementaron su capacidad de trabajo, luego de tomar, diariamente, *eleuthero* durante un mes. En otro experimento, llevado a cabo con un grupo de esquiadores profesionales, se comprobó que aquellos que tomaron esta hierba, justo antes de una competición, incrementaron su capacidad física y su resistencia a los efectos de un resfriado.

El Ginseng y la terapia contra el cáncer

Aunque el ginseng no es por sí mismo una cura o tratamiento contra el cáncer, diversas investigaciones demuestran que ayuda a las personas a lidiar con el alto estrés que causan las terapias contra esa grave enfermedad. En efecto, protege a las células sanas del daño que causa la terapia de radiación. Por ejemplo, en un estudio realizado con ochenta pacientes, que venían siendo tratadas contra el cáncer de mama, aquellas que recibieron el ginseng siberiano experimentaron menos náuseas y mareos, y se encontraron con una mejor disposición para mantener un apetito saludable. También se ha demostrado que estas hierbas estimulan el funcionamiento de las células asesinas, es decir, de los glóbulos blancos que el cuerpo emplea para atacar a las células cancerígenas directamente.

Seguridad y dosis

El ginseng está disponible en diversas presentaciones: como cápsulas de raíz en polvo, como tabletas, o como una solución con base de alcohol. La dosis recomendada del ginseng asiático, el más usado, es de 100 a 200 mg diarios de un extracto estandarizado que contiene un 4 a un 7% de ginsenoides. Tratándose de la solución, la dosis más adecuada es de 5 ml diarios de un concentrado hecho de cinco partes de alcohol y una parte de ginseng. Tome ginseng durante tres semanas, y, luego, déjelo durante una semana.

El *eleuthero* debe ser tomado en una dosis de 200 a 400 mg diarios de un extracto estandarizado que contiene más de 1% de *eleutherosides*. Dado que es menos estimulante que el ginseng asiático y posee un efecto más moderado sobre hormonas, como la testosterona y el estrógeno, puede ser tomado por períodos más largos de tiempo.

La aparición de efectos secundarios es muy extraña. No obstante, como con cualquier otra sustancia, pueden producirse alergias. Con el ginseng asiático se han reportado ciertas anormalidades en la menstruación y ablandamiento del pecho. Un uso excesivo puede causar sobre estimulación y con ello el insomnio, por ejemplo. También se conoce la existencia de reportes no confirmados que señalan que una dosis excesiva de esta planta eleva la presión arterial e incrementa el ritmo cardiaco. La medicina china tradicional emplea el ginseng durante el embarazo y, de acuerdo a la Comisión E alemana tampoco existen restricciones. No obstante, al igual que con cualquier otra hierba, debe ser usado bajo la supervisión de un profesional del cuidado de la salud debidamente calificado.

6

LA RHODIOLA ROSEA

Otro increíble adaptógeno que proviene de Oriente, con una larga historia tras él, es la rhodiola (*rhodiola rosea*), también conocida como raíz de la rosa, rosa wort, raíz dorada, y, debido a que crece en las frías regiones árticas de la Siberia oriental, como raíz ártica. Además de florecer en climas fríos, la rhodiola se ha adaptado a altitudes elevadas (desde los 3.352 a los 5.846 metros) produciendo flores amarillas que exhalan el perfume de las rosas. De ahí, su nombre latino, rosea.

Los conocimientos tradicionales antiguos, en materia de hierbas medicinales, colocaban a la rhodiola en un lugar privilegiado puesto que mejoraba la salud y prolongaba la vida. Hace tres mil años se creía que aquellos que bebían té de rhodiola vivían más de 100 años, lo que motivó que los antiguos emperadores chinos organizaran expediciones en busca de esta potente planta. En

Mongolia se usaba para tratar el cáncer y la tuberculosis, mientras que en Georgia se prescribía para combatir la fatiga, fortalecer la resistencia física y aliviar la depresión. En Siberia, la tradición señalaba que los recién casados debían ingerir rhodiola para aumentar su potencia sexual, y, mejorar las probabilidades de concebir a un bebé saludable.

LA CIENCIA MODERNA DE LOS ADAPTÓGENOS

Pero no todo es solo simplemente conocimiento tradicional o folclore. La ciencia moderna ha confirmado que la rhodiola posee numerosos e impresionantes beneficios sobre la salud. Entre ellos tenemos a su habilidad para mejorar la concentración, incrementar la energía física, balancear las hormonas del estrés, restaurar el azúcar saludable de la sangre y los niveles de insulina en los diabéticos, así como mejorar el estado de ánimo y potenciar el sistema inmunológico.

Como un adaptógeno, la rhodiola parecer ser, por lo menos, tan poderosa como el ginseng y protege al organismo contra la aparición de altos niveles de la hormona del estrés, llamada cortisol. Simultáneamente, estimula el desempeño mental y físico. Por esta razón fue exhaustivamente investigada por el gobierno soviético y sus científicos militares a partir de la década de 1940. Esta investigación tenía como propósito mejorar el desempeño de los soldados soviéticos en el campo de batalla, es por ello que se conservó como un secreto de estado celosamente guardado. Los científicos rusos estaban tan impresionados con esta hierba que empezaron a dársela a los atletas soviéticos y, más adelante, se convirtió en un producto básico para los cosmonautas a fin de ayudarlos a adaptarse al estrés de retornar a la Tierra después de largas misiones en el espacio.

LOS EFECTOS MENTALES DE LA RHODIOLA

Los efectos de la rhodiola sobre el cerebro son quizás los más interesantes. Numerosos estudios han demostrado que mejora la concentración y el lapso de atención, especialmente cuando uno está cansado. A través de diversos test de lectura, realizados durante una investigación, se halló que los sujetos que ingirieron rhodiola ¡disminuyeron su número de errores en un 88%! Esta trabaja, parcialmente, mediante su función antioxidante, protegiendo al cerebro frente al daño que causan los radicales libres, de manera similar a la forma en que actúa el ginkgo.

Se ha demostrado que la rhodiola ayuda al cerebro a producir serotonina, un importante neurotransmisor que mejora el estado de ánimo y es eficaz para mantener la sensación de satisfacción. Los investigadores rusos, antes mencionados, descubrieron que una de las formas en que la rhodiola ayuda a aliviar la depresión es potenciando el transporte de dos importantes precursores, triptofano y 5-hidroxitriptofano (5-HTP), dentro del cerebro para incrementar los niveles de serotonina. En Rusia es usada para ayudar a tratar el Desorden Afectivo Estacional (DAE), una enfermedad depresiva relacionada con el clima muy frecuente en las latitudes septentrionales, causado por la falta de rayos solares durante los largos y oscuros meses del invierno. Así, por ejemplo, durante un ensayo clínico se les dio 200 mg de rhodiola a 128 personas que sufrían de depresión. Dos tercios de estos pacientes experimentaron una reducción muy considerable en la completa desaparición de todos los síntomas que los aquejaban.

LA RHODIOLA Y LA SALUD DEL CORAZÓN

Esta planta ayuda a controlar las arritmias (latidos erráticos). También se ha demostrado que restaura la salud cardiaca reduciendo la emanación de hormonas adrenales, tales como los catacolaminas y los corticoides, que se producen cuando el organismo se halla bajo estrés. Si no se vigilan, estas hormonas del estrés elevan la presión arterial y aumentan los niveles de colesterol. Se ha comprobado que la rhodiola ayuda a prevenir las dolencias cardiacas reduciendo los niveles de colesterol en la sangre y otras grasas dañinas que causan dichas dolencias y generan el daño de las arterias.

LA RHODIOLA Y EL CÁNCER

La rhodiola potencia el sistema inmune, ayudando al cuerpo a luchar contra la formación y diseminación del cáncer. Puesto que se trata de un potente antioxidante, esta hierba previene el daño que pueda ocasionarse a las membranas celulares sanas (peroxidación lipídica), daño que inicia muchas formas de cáncer. También incrementa la producción y fortalece la actividad de las células asesinas naturales usadas por el sistema inmunológico para destruir las células cancerígenas. Cuando un grupo de científicos inició experimentos con animales, descubrieron que el extracto de rhodiola ayudaba a inhibir el crecimiento de los tumores en un 39% y reducía la expansión de las referidas células cancerígenas (metástasis) en un 50%.

Asimismo, se ha descubierto que esta hierba es muy útil durante el proceso de recuperación del cáncer, por cuanto apoya la función destoxificante del hígado, la que puede ser sobrepasada durante las terapias tradicionales llevadas a cabo contra esta enfermedad. Se ha demostrado que puede ser muy útil para combatir el cáncer de vejiga y que los extractos de esta planta incre-

mentan los ratios de supervivencia frente a diversos tipos de cáncer, como los adenocarcinomas y el cáncer de pulmón.

LA RHODIOLA Y LA PÉRDIDA DE GRASA

En la cúspide de la impresionante lista de beneficios que hemos descrito, se ha comprobado que la rhodiola es muy útil para controlar el peso, dado que ayuda a quebrar la grasa dura y difícil de perder, almacenada por el cuerpo y mejora los ratios de músculo a grasa. Como cualquiera que ha intentado perder peso rápidamente aprende, eliminar la grasa almacenada es la tarea más difícil. La clave para vencer y liberar los depósitos de grasa más persistentes, es una enzima conocida como lipasa sensible a hormona (LSH). Esta hormona ayuda al organismo a quebrar la grasa almacenada, de tal forma que pueda ser liberada y, luego, ser quemada como energía. Para estimular dicha hormona es necesaria la presencia de un químico conocido como cAMP (en inglés: *cyclic adenosime monophosphate*). En efecto, investigaciones científicas han demostrado que la rhodiola ayuda a activar este químico y con ello estimula la liberación de la referida lipasa sensible a hormona. Lo que, a su vez, facilita la liberación de la grasa corporal, de tal manera que esta pueda ser que quemada como combustible para incrementar la energía celular.

Otro estudio, llevado a cabo con voluntarios a los que se les prescribió extracto de rhodiola, comprobó que aquellos que ingirieron esta hierba, experimentaron, respecto de aquellos que no la tomaron, una subida de 44% en los niveles de sérum de los ácidos grasos, después de una hora de ejercicio con una bicicleta (el aumento de los niveles de los ácidos grasos indica que la grasa está siendo liberada desde las células). Un nuevo estudio señaló que, cuando la rhodiola se combinaba con una simple caminata de treinta minutos, los niveles de grasa disminuían un 17% en los sujetos tratados. Finalmente, un grupo de voluntarios obesos añadieron rhodiola a sus programas para bajar de peso, con lo que lograron perder un 11% de su peso corporal total, en comparación al 4% de los voluntarios que no recibieron esta planta, después de un periodo de tres meses.

Estos maravillosos resultados muestran que esta hierba, combinada con ejercicio modesto y una dieta sensible, puede convertirse en un poderoso aliado para controlar el peso, ayudando a activar enzimas que queman la grasa a fin de perder el exceso de peso.

Escogiendo un suplemento de Rhodiola

Al igual que con otras hierbas, asegúrese de haber adquirido la sustancia verdadera. Existen muchas variedades de plantas de rhodiola, pero se sabe que solo una es efectivamente conocida como rhodiola rosea. Esta posee muchos ingredientes activos, pero los componentes clave son los llamados rosavin y salidroside. Por ello es preferible ingerir suplementos de rhodiola que estén estandarizados y, por ende, pueden garantizar, por lo menos, un 2% de rosavin y un 1% de salidroside.

Dosis sugerida

Tome 100 mg de un extracto estandarizado, dos o tres veces al día, antes de las comidas.

Seguridad y precauciones

La rhodiola rosea es una hierba extremadamente segura y está libre de contraindicaciones y efectos secundarios.

7

La Cúrcuma

La cúrcuma (*Curcuma longa*) es la especia picante que le da al curry su peculiar sabor y su color amarillo intenso. Viene siendo usado desde la antigüedad en regiones cálidas y tropicales, como la India o el Sur de Asia, para mantener frescos los alimentos y prevenir el envenenamiento por alimentos descompuestos. Esta capacidad para preservar la comida deriva de sus propiedades antioxidantes y antibacteriales que ayudan a prevenir que los radicales libres y otros patógenos bacteriales arruinen la carne y otros alimentos. Asimismo, desde hace 5 mil años, la antigua medicina tradicional de la India, la Medicina Ayurveda, viene empleándola para mantener la salud, puesto que purifica la sangre, protege al hígado, calma la digestión, trata la artritis y, aplicada externamente, cura las heridas y enfermedades de la piel.

Actualmente, los doctores emplean esta planta para tratar determinados cánceres; dolencias inflamatorias, tales como la artritis, osteoartritis, síndrome del colón irritado, la soriasis y múltiple esclerosis. Asimismo, está siendo estudiada debido a su eficacia para tratar enfermedades causadas por el daño que generan los radicales libres, tales como las cardiovasculares, así como por el rol que desempeña protegiendo al hígado de cualquier daño químico.

EL PODER DE LOS CURCUMINOIDES

Hoy sabemos que todos los beneficios que la cúrcuma acarrea sobre la salud provienen de un único grupo de antioxidantes llamados curcuminoides. Estos poderosos componentes protegen al organismo de la oxidación dañina que generan los radicales libres, oxidación que puede dar origen a varias enfermedades crónicas, como las dolencias cardiovasculares, cáncer, desórdenes neurológicos, artritis, y otras enfermedades degenerativas relativas a la edad. En efecto, los curcuminoides están considerados entre los más potentes de todos los antioxidantes conocidos. Además son cinco veces más potentes que la vitamina E (alfa-tocoferol) al momento de reducir radicales libres excepcionalmente peligrosos, como el superóxido y peroxyl.

LA ACCIÓN ANTIINFLAMATORIA Y ANTIARTRÍTICA DE LA CÚRCUMA

La cúrcuma es conocida, principalmente, por su poderosa acción antiinflamatoria. Cotidianamente millones de personas que padecen artritis emplean drogas antiinflamatorias no esteroides (DANE), como la aspirina, el ibuprofeno, y el naproxeno, para aliviar el dolor y la inflamación que causan están enfermedad y la osteoartritis. Dichas drogas ayudan a reducir la inflamación y el dolor inhibiendo la segregación de prostaglandinas, sustancias que el cuerpo libera para promover la inflamación. Desafortunadamente, estas drogas no solo bloquean la producción de las prostaglandinas "malas" (COX-2) sino también de las "buenas" (COX-1), la misma que resulta indispensable para mantener y proteger el revestimiento interno del estómago. Si estas drogas antiinflamatorias se toman durante un periodo prolongado pueden ocasionar úlceras gastrointestinales y sangrado.

Cuando inhibidores de COX-2, como el celecoxib (Celebrex) y rofecoxib (Vioxx), fueron introducidos al mercado se consideraron superiores a las drogas antiinflamatorias usuales. Ello debido a su habilidad para inhibir, selectivamente, solo las enzimas inflamatorias COX-2 para proporcionar alivio frente al dolor y la inflamación sin efectos secundarios. Lamentablemente, estas drogas han demostrado causar serios efectos secundarios, tales como un aumento de la presión arterial, retención de líquidos, y colapso de los riñones. Actualmente, se ha podido comprobar que la cúrcuma es una alternativa segura y natural, frente a las drogas antiinflamatorias y los inhibidores de COX-2, para controlar la artritis.

En Asia, el extracto de cúrcuma viene siendo usado desde hace siglos para tratar cualquier tipo de condición inflamatoria. Recientemente, investigadores británicos han descubierto que esta planta actúa como un potente inhibidor natural de COX-2, lo que explica por qué muchas personas que han ingerido cúrcuma experimentan un gran alivio respecto de las molestias que produce la artritis. Asimismo, a través de un estudio clínico, se pudo comprobar que aquellas personas que padecían artritis reumatoide y recibieron altas dosis de esta planta (por encima de 1200 mg por día), experimentaron un considerable alivio frente al dolor y la inflamación ocasionados por esta enfermedad.

La Cúrcuma y la prevención del cáncer

Después de la introducción de los inhibidores de COX-2 en el mercado, los médicos empezaron a darse cuenta de que aquellos pacientes que habían tomado estas drogas durante varios años eran más proclives que otros pacientes a ser diagnosticados con cáncer de colón. Estas observaciones, cotejadas con una investigación previa, mostraron que en determinados cánceres se presentan niveles anormalmente altos de COX-2.

Actualmente, los científicos han hallado que las enzimas inflamatorias COX-2 están directamente relacionadas a varios tipos de cánceres, como el de colón o el de páncreas. A través de experimentos con tubos de ensayo, se ha descubierto, también, que el extracto de cúrcuma inhibe significativamente el ratio de crecimiento de las células cancerígenas en el páncreas humano. Asimismo, se ha comprobado que el curcumin, el ingrediente activo que le da a esta hierba su color amarillo brillante, es sumamente efectivo para luchar contra las células cancerígenas en la próstata. Los científicos han verificado que cuando el curcumin es combinado con una molécula natural denominada TRAIL (en inglés: *Tumor Necrosis Factor Related Apoptosis Inducing Ligand*), los dos agentes matan, de dos a tres veces, más células cancerígenas que cada uno de ellos por separado. Con lo cual, dicha combinación logra matar más del 80% de las referidas células. Asimismo, se ha demostrado que este componente detiene la expansión del mieloma múltiple, un tipo de cáncer de la médula ósea. En efecto, un grupo de investigadores del Centro MD contra el Cáncer de la Universidad de Texas descubrió que el extracto de cúrcuma detiene la activación del proceso envuelto en la diseminación de las células mieloma.

También se ha corroborado que el curcumin dispara la apoptosis, un proceso que conduce a la autodestrucción de las células cancerígenas.

Basados en estos óptimos resultados, dichos investigadores recomiendan a aquellos pacientes que padecen múltiples mielomas que inicien un tratamiento con este "agente farmacológicamente seguro".

LA CÚRCUMA PREVIENE EL ALZHEIMER

El interés en la habilidad de la cúrcuma para proteger los tejidos del cerebro fue estimulado por diversos estudios que revelaron niveles bajísimos de enfermedades neurológicas, como el Alzheimer, en la población de la tercera edad de la India. Se ha demostrado que además de reducir la incidencia de ciertos cánceres, las personas que vienen tomando, rutinariamente, durante años medicación COX-2 presentan una incidencia menor de Alzheimer.

La sospecha de que la inflamación juega un rol decisivo en esta dolencia condujo a los científicos a descubrir que el COX-2 interviene en la formación de las placas encontradas en los cerebros de las personas diagnosticadas con Alzheimer. Pese a los obvios beneficios potenciales de usar inhibidores de COX-2 para prevenir la referida enfermedad, los doctores han evitado realizar tales recomendaciones debido a los serios efectos negativos asociados a estas drogas.

Buscando una alternativa más segura respecto de los inhibidores de COX-2, muchos investigadores médicos se han volcado a estudiar la cúrcuma con animales. Estudios que han demostrado que esta hierba es muy efectiva suprimiendo el COX-2 sin generar ningún efecto secundario. Se ha encontrado que la cúrcuma representa una alternativa segura para proteger al organismo contra los estragos del Alzheimer. Este hecho ha sido fehacientemente confirmado por científicos de la Universidad de California, en Los Ángeles, quienes reportaron que esta planta parece hacer más lenta la progresión de esta enfermedad en ratones.

La Cúrcuma y las dolencias cardiacas

La cúrcuma favorece la salud del corazón de diversas maneras. Primero que todo se ha demostrado que disminuye los niveles de colesterol en la sangre. Los resultados de un estudio clínico llevado a cabo con personas sanas que tomaron 500 mg de cúrcuma diarios durante siete días, mostró que estas redujeron en un 29% sus niveles de colesterol de sérum. Adicionalmente, otro grupo de sujetos evaluados presentó una caída de 33% en los peróxidos lípidos de la sangre, los mismos que dañan las arterias y contribuyen a las enfermeda-

des cardiacas. Los autores de este estudio establecieron que estos resultados pueden ser indicadores del rol potencial de los curcuminoides para prevenir las dolencias del corazón.

LA CÚRCUMA DISMINUYE EL FIBRINÓGENO.
Esta planta ayuda a prevenir la formación de peligrosos coágulos de la sangre que pueden conducir a ataques cardiacos. Los elevados niveles de sangre de fibrinógenos son considerados, actualmente, el mayor factor de riesgo en la ocurrencia de dolencias coronarias (ataques al corazón) y enfermedades cerebro vasculares (derrames). Estas dos dolencias constituyen alrededor del 60% de las causas de muerte en la tercera edad. En efecto, hoy muchos estudiosos consideran que los niveles de fibrinógenos son, por encima del colesterol y los niveles de homocisteína, la mayor causa de aparición de enfermedades cardiacas y de derrames. Además, los altos niveles del referido fibrinógeno están directamente asociados a otro gran número de dolencias, como el cáncer, la diabetes, y la hipertensión. Desafortunadamente, dichos niveles se alcanzan con la edad, y no existe ninguna droga farmacéutica que pueda disminuirlos.

A través de un estudio clínico, un grupo de sujetos con niveles elevados de fibrinógeno fue tratado con 20 mg de extracto de cúrcuma por día.

Dichos niveles cayeron en picado después de solo quince días de tratamiento y no se advirtieron efectos negativos y tampoco cambios adversos en ninguno de los químicos de la sangre.

LA CÚRCUMA Y LA ESCLEROSIS MÚLTIPLE

Nuevos experimentos con animales sugieren que la cúrcuma puede desempeñar un rol importante al momento de bloquear la progresión de la Esclerosis Múltiple (EM). Mediante esta enfermedad, el sistema inmunológico ataca la vaina de mielina protectora que rodea las fibras nerviosas en el cerebro y la espina dorsal. Algunos de sus síntomas son la debilidad y el agarrotamiento muscular, problemas de coordinación y balance, entumecimiento y alteraciones de la visión.

Mediante una investigación clínica se trató a un grupo de ratones criados con encefalomielitis autoinmune (EAE), una condición autoinmune similar a la esclerosis múltiple, con cúrcuma en variadas dosis. Posteriormente, monitorearon a los animales en busca de signos de discapacidad neurológica y, luego, los compararon con un control. Después de quince días, los ratones que no habían sido tratados con cúrcuma sufrieron una parálisis completa de sus dos miembros traseros. Por el contrario, los ratones que sí habían sido tratados con ella presentaron, únicamente, síntomas menores, tales como una rigidez temporal de la cola. Asimismo, aquellos ratones que recibieron las dosis más altas de cúrcuma permanecieron completamente intactos durante los treinta días del estudio. Y, tal como sucede con los bajos ratios de Alzheimer en la India referidos anteriormente, los investigadores pudieron volver a percatarse de que en otros países asiáticos, como la China, donde el consumo de cúrcuma es muy alto, existe muy poca incidencia de Esclerosis Múltiple.

Dosis sugerida

Tome 100 mg de un extracto estandarizado, dos o tres veces diarias, antes de las comidas.

Seguridad y precauciones

La cúrcuma es extremadamente segura, tanto así que muchas personas que consumen casi 4 gramos diariamente, no han presentado ningún tipo de efectos adversos. Debido a su habilidad para disminuir factores de coagulación de la sangre, como el fibrinógeno, las personas que usualmente ingieren medicación anticoagulante deben consultar con su médico antes de iniciar un tratamiento con esta planta.

8

EL CARDO LECHERO

Desde hace 2.000 años, las semillas, los frutos, y las hojas del cardo lechero (*Silybum marianum*) vienen siendo usados para propósitos medicinales. El escritor romano, Plinio "el Viejo", quien vivió del 23 al 79 a.c., mencionó en sus escritos que el zumo del cardo lechero mezclado con miel "podía llevarse el mal genio". En Europa, esta hierba fue usada, ampliamente, a inicios del siglo veinte para tratar enfermedades leves del hígado y la lactancia insuficiente. Los ingredientes activos de esta hierba parecen ser cuatro sustancias conocidas colectivamente como silymarin, de las cuales la más potente es la silibin. Esta última, inyectada intravenosamente, es uno de los pocos antídotos conocidos contra el envenenamiento causado por el hongo mortal, *Amanita phalloides*.

El silymarin es un poderoso antioxidante. En efecto, estamos constantemente expuestos a diversas toxinas, tales como el humo del cigarro, el monóxido de los autos, los pesticidas, y otros químicos en el aire, la comida, y el agua. Dichas toxinas se agregan a las que nuestro propio cuerpo genera como producto de nuestro metabolismo. Todas estas toxinas producen radicales libres que dañan nuestras células. No obstante, estas pueden ser neutralizadas por un tipo de sustancias llamadas antioxidantes. Precisamente, la silymarin potencia la acción de dos de los mayores antioxidantes generados por el organismo, el glutatión y el superóxido dismutasa (SOD). Asimismo, el cardo lechero protege al hígado del daño causado por los radicales libres actuando como un antioxidante. Por otro lado, los resultados obtenidos en diversos estudios con animales, sugieren que el extracto de esta hierba puede ser usado como un antídoto muy eficaz contra distintos tipos de envenenamiento, como el causado por el tolueno, un solvente común, o la acetaminofén, el principal ingrediente del tylenol.

En Europa, los médicos, a menudo, prescriben el cardo lechero para que actúe como una protección adicional para aquellos pacientes que se ven obligados a tomar medicación que podría causarles problemas con el hígado. Yo suelo recomendarla a aquellas personas que están siguiendo un tratamiento con antidepresivos, por ejemplo, puesto que estos son metabolizados (deshechos) en el hígado. Cabe señalar que esta planta también puede proteger al organismo contra la exposición tóxica.

EL CARDO LECHERO
Y LAS DOLENCIAS HEPÁTICAS

El silymarin, el mayor constituyente de las semillas del cardo lechero, se emplea para tratar las dolencias hepáticas. Este componente protege a las células contra las toxinas y estimula el crecimiento de nuevas células en el hígado. Basados en la extensa tradición popular que emplea el cardo lechero cuando se presentan casos de ictericia, investigadores médicos europeos han llevado a cabo serios estudios sobre los efectos medicinales de esta hierba. Así tenemos que se usa, ampliamente, para curar la hepatitis alcohólica, enfermedad grasa no alcohólica del hígado, la cirrosis, el envenenamiento hepático, y la hepatitis viral. El cardo lechero es una de las pocas hierbas que no posee un equivalente en el mundo de las drogas. Solamente existen otras dos sustancias naturales, el ácido alfa-lipoico y el N-acetilcisteina que poseen efectos similares.

El tratamiento con esta planta, generalmente, alivia los síntomas comunes derivados de una dolencia hepática crónica, tales como las náuseas, debilidad, pérdida de apetito, fatiga, y dolor. Los niveles de la sangre en las enzimas del hígado, que se mantienen elevados en las enfermedades hepáticas o si se ha producido un daño, frecuentemente disminuyen.

EL CARDO LECHERO Y LA CIRROSIS

El consumo de alcohol y el alcoholismo generan graves repercusiones en el hígado, ya que este órgano es la fábrica química del cuerpo. Es aquí donde el alcohol es transformado en sus metabolitos. La silymarin es bastante útil para preservar la salud del hígado, aunque los estudios muestran que la abstinencia es el mejor tratamiento. No obstante, mediante un estudio médico se observó a 106 soldados finlandeses que padecían dolencias hepáticas alcohólicas moderadas. El grupo que fue tratado con el cardo lechero mostró mejoras significativas en la actividad que desarrolla el hígado, la misma que fue medida a través de test sanguíneos y de una biopsia (en una biopsia, una pequeña parte del tejido hepático se examina bajo un microscopio). Otros estudios importantes han reportado resultados parecidos, sin embargo los investigadores insisten en que la abstinencia sigue siendo el mejor de los tratamientos.

Asimismo, dos largos estudios controlados diferentes demostraron cómo esta hierba prolongaba la vida de los pacientes con cirrosis. En uno de estos estudios, 170 pacientes recibieron cardo lechero o un placebo y fueron observados durante un periodo de tres a seis años. Después de cuatro años, el 58% del grupo que recibió la planta sobrevivió, mientras que solo el 38% de los que recibieron el placebo lo hizo. Asimismo, estudios doblemente ocultos con pa-

cientes que sufren hepatitis viral crónica, han comprobado que el cardo lechero puede lograr marcadas mejorías y alivio de los síntomas que acompañan esta enfermedad, como la fatiga, la reducción de apetito, las molestias abdominales, así como en los niveles de las enzimas hepáticas.

EL CARDO LECHERO Y LA HEPATITIS

La hepatitis genera una seria inflamación del hígado y se ha convertido en un problema de la salud, cada vez mayor, en el mundo entero. Los tipos más comunes del virus de la hepatitis son el A, B, y C, de los cuales el A es el más serio. Actualmente, la hepatitis B aflige a más de un millón de personas y la hepatitis C ha alcanzado proporciones epidémicas. Infectando, solamente en los Estados Unidos, a 4 millones de personas, esto es cuatro veces más el número de personas infectadas con SIDA. La hepatitis C es la responsable de, más o menos, 10 mil muertes cada año, y se espera que este ratio se triplique al final de la década. Esta clase de hepatitis también representa la causa más común de las dolencias crónicas que afectan al hígado, como la cirrosis, y además es la causa principal del cáncer de hígado.

El interferón (INF) y el ribavarin constituyen el actual tratamiento estándar para combatir la hepatitis C, no obstante, solo resultan efectivos para menos del 30% de todos los pacientes, después de un año de tratamiento. Además, de aquellos que sí se benefician con el uso del primero, más del 70% sufre una recaída a los pocos meses del tratamiento. En total, solo alrededor de un 10 a 15% de los pacientes que padecen este tipo de hepatitis disfrutan de una recuperación sostenida de, por lo menos, seis meses, luego de culminado el tratamiento con este medicamento. El porcentaje es ligeramente más elevado en aquello pacientes que se trataron con pegylated interferón (interferón de liberación temporal).

Mientras que los tratamientos convencionales no resultan muy exitosos para combatir la hepatitis, el silymain, especialmente cuando es combinado con otros nutrientes beneficiosos, se convierte en una excelente alternativa. Uno de mis pacientes, un hombre de cincuenta años con enzimas hepáticas elevadas debido a un viejo cuadro de hepatitis, respondió bastante bien al tratamiento con cardo lechero. Sus elevados niveles de enzimas se regularizaron después de ocho semanas, y sus síntomas de depresión, fatiga, y náuseas desaparecieron también.

Dosis recomendada

La dosis estándar de cardo lechero es de 200 mg de dos a tres veces diarias, de un extracto estandarizado que contiene un 70% de complejo silymarin. Existe evidencia que señala que el silymarin unido a un nutriente llamado fosfatidilo -"fosfatidilcolina", se absorbe mejor. Este suplemento combinado debe tomarse en una dosis de 100 a 200 mg dos veces al día. No obstante, cabe recordar que la supervisión médica es indispensable en todos los casos de dolencias hepáticas, dado que constituyen enfermedades muy graves.

Seguridad y precauciones

El cardo lechero y su extracto de silymarin son, básicamente, no tóxicos y causan solo los efectos secundarios más leves en una pequeña minoría de pacientes. Un estudio que envolvió a 2.637 pacientes mostró una baja incidencia de efectos adversos, limitándose primordialmente a un moderado dolor gastrointestinal. El uso de esta hierba es totalmente seguro para las mujeres embarazadas y para aquellas que están dando de lactar, tanto así que investigadores médicos reputados han incluido a mujeres con embarazo en sus estudios con silymarin.

9

LA HIERBA DE SAN JUAN

La Hierba de San Juan (*Hypericum perfora-tum*) es una frondosa planta de hojas perennes con flores amarillas que crece salvaje en varios lugares del mundo, incluyendo Europa, Asia, y los Estados Unidos. Debe su inusual nombre a San Juan, el Bautista, dado que es tradicionalmente recolectada el 24 de junio, día de San Juan. Esta hierba ofrece todos los beneficios y ventajas de los antidepresivos prescritos, pero sin ninguno de sus efectos adversos, y a un décimo de su costo. Hacia el año 2000, la hierba de San Juan ya era uno de los tratamientos naturales más vendidos para curar las depresiones leves y moderadas.

Al igual que la mayor parte de las plantas medicinales, esta hierba contiene una compleja mixtura de más de dos docenas de ingredientes activos conocidos. Cada uno de ellos con sus propios y únicos efectos. La sinergia de todos estos componentes logra mayores beneficios para la salud que cualquiera de ellos por separado. Ello le proporciona un gran poder curativo sin la aparición de los indeseados efectos secundarios encontrados en muchas drogas compuestas de ingredientes aislados o de químicos sintéticos. Uno de sus ingredientes, la hipericina, es el más importante para la estandarización de los productos derivados de la hierba de San Juan. Una investigación llevada a cabo por el Profesor W.E. Muller de la Universidad de Frankfurt sugiere que este ingrediente podría ser el componente antidepresivo más relevante.

Inicialmente, además de ser un inhibidor de una sustancia denominada MAO, una enzima que destruye los neurotransmisores, esta hierba más que nada actúa aumentando la disponibilidad de los neurotransmisores antidepresivos, como la serotonina, la norepinefrina, y la dopamina. Por ende, su acción es similar a la de varias drogas antidepresivas.

A través de mi propia práctica y de las muchas comunicaciones que he recibido de los, hoy en día, felices consumidores de la hierba de San Juan, puedo concluir que si bien no representa una "varita mágica" para todo el mundo, sí posee un rol significativo en el tratamiento de la depresión. Muchas personas han reportado sentirse aliviadas de su depresión, y, aquellos que antes habían tomado antidepresivos farmacéuticos, sostienen que dicho alivio llegó sin el familiar "humor abatido" o los efectos "químicos" que acompañan a dichos farmacéuticos.

La Hierba de San Juan y la Depresión

Numerosos investigadores médicos han demostrado que esta planta es muy efectiva para tratar a pacientes con depresión, ayudándolos a superar un amplio margen de síntomas, tales como la tristeza, el desamparo, la desesperanza, la ansiedad, el dolor de cabeza y el agotamiento. Y todo ello sin la aparición de efectos adversos. En 1996, el *British Medical Journal* publicó un extenso y exhaustivo artículo acerca de la hierba de San Juan. Los autores llevaron a cabo un metaanálisis o, lo que es lo mismo, un resumen y comparación de veintitrés estudios clínicos al azar a fin de encontrar conclusiones totales. Quince de estos estudios compararon esta hierba con un placebo, y otros ocho con antidepresivos convencionales, en un total de 1.757 pacientes ambulatorios. La investigación mostró que la referida planta funcionaba casi tres veces mejor que los placebos, presentando un ratio de éxito del 55%, versus el 22% que presentaba el grupo que había tomado solo estos últimos.

El referido metaanálisis también comparó esta hierba con cierto número de drogas antidepresivas. Los resultados señalaron que dicha hierba fun-

ciona ligeramente mejor, brindando una respuesta positiva el 64% de las veces versus el 59% en el caso de los antidepresivos. Adicionalmente, solo el 0,8 % de los pacientes que venían tomando la hierba de San Juan abandonó el estudio debido a la aparición de efectos adversos, frente a un 3% de aquellos que seguían el tratamiento con drogas antidepresivas, que sí lo hizo por esta razón.

No obstante, cualquiera que esté padeciendo los síntomas de una depresión debe someterse a un riguroso examen médico para descartar otras posibles causas de estos síntomas. Ello porque ciertas anomalías de la salud, como los desórdenes tiroideos, la anemia, la hipoglicemia, el síntoma de fatiga crónica y las deficiencias nutricionales pueden conducir a la depresión. Asimismo, una depresión más severa puede no responder a este tipo de tratamiento y, en consecuencia, requerir medicación mucho más fuerte.

ESTUDIO CONTROVERSIAL SOBRE LA DEPRESIÓN SEVERA

En el 2002, el *Journal of the American Medical Association (JAMA)* llegó a la conclusión de que la hierba de San Juan no era efectiva para tratar la depresión y, desafortunadamente, los medios hicieron eco de esta afirmación. El error consistió en no mencionar que la población analizada sufría una depresión severa, y que el antidepresivo prescrito, el sertraline (zoloft), con el que se hizo la comparación, no ofreció mejores resultados. El hecho es que en por lo menos treinta estudios realizados con mas de 1.700 pacientes, se ha podido validar la idoneidad de esta hierba para tratar la depresión leve o moderada, con lo cual continúa siendo una excelente alternativa frente a este tipo de situaciones. Sin lugar a dudas, en determinados casos se puede requerir medicación, pero podemos afirmar que esta medicación se prescribe en exceso, considerando el éxito de esta planta y de otras medicinas naturales para superar "la melancolía", sin la presencia de molestos efectos secundarios como el dolor de cabeza, la falta de libido, las náuseas, el retraimiento y muchos otros.

La Hierba de San Juan y
el desorden afectivo estacional

Esta planta ha sido bastante exitosa al momento de tratar el desorden afectivo estacional, desorden que se genera por la ausencia de luz solar durante el otoño y el invierno. Este problema es bastante común en aquellos países ubicados en las latitudes extremas norte y sur del planeta, donde existen muy pocas horas de luz solar en los meses del invierno. Así tenemos que las horas de luz reducidas disparan complejos cambios bioquímicos en el cerebro. Dichos cambios generan distintos síntomas como depresión, concentración deficiente, ansiedad, notoria disminución de la energía y la libido, y antojo de carbohidratos. En consecuencia, cuando los individuos afectados por este mal reciben la dosis de luz solar que requieren, vuelven a sentirse llenos de energía y listos para retomar sus vidas. Asimismo, mediante otro estudio en el que se comparó los efectos de la hierba de San Juan con la terapia de luz, se llegó a la conclusión de que ambas eran igual de efectivas. Más aún, los investigadores involucrados en dicho estudio no tuvieron repararos en firmar que esta hierba "brinda luz a los lugares más oscuros".

La Hierba de San Juan y el sueño

La hierba de San Juan trabaja con el mecanismo propio del cuerpo promotor del sueño, esto es la liberación de melatonina. Ello para brindarle al organismo un sueño reparador, sin la resaca o los efectos adictivos de los sedantes que usualmente se prescriben para conciliar el sueño. Un nuevo experimento clínico demostró que una dosis de noventa gotas al día de esta planta, durante un periodo de tres semanas, incrementa considerablemente los niveles de melatonina nocturnos. Dado que se requiere, más o menos, una semana para

que este remedio natural empiece a hacer efecto, se recomienda iniciar su uso en los casos de insomnio recurrente, no si solo se trata de un episodio de falta de sueño aislado.

La Hierba de San Juan no eliminará instantáneamente el estrés que usted pueda padecer, pero sí le ayudará a manejarlo más fácilmente. Puesto que esta planta necesita adaptarse al organismo para lograr mayor efectividad, usted deberá tomar la dosis habitual regularmente y no justo antes de la ocurrencia de eventos estresantes.

LA HIERBA DE SAN JUAN Y EL SÍNDROME PREMENSTRUAL (SPM)

La aparición de este síndrome es bastante común entre las mujeres, alrededor de siete días antes de la llegada del periodo, trayendo consigo melancolía, irritabilidad, hinchazón y fatiga. Muchas mujeres afirman que luego de usar esta planta para tratar la depresión, dicho síndrome desapareció, junto con los cólicos menstruales o los síntomas menopáusicos. Algunas mujeres empezaron a tomarla justo antes de que comenzaran las primeras molestias del síndrome. Otras se percataron de que esta hierba necesita adaptarse al sistema y comenzaron a tomarla durante todo el mes, añadiendo dosis adicionales si era necesario.

Dosis y seguridad

Hace muchos años que la hierba de San Juan viene siendo usada en Europa por personas que sufren de depresión, sin ocasionarles efectos adversos. Generalmente su consumo no produce efectos retroactivos, por lo que usted podrá detener su ingesta y reiniciarla cuando sea necesario. Después de unos pocos meses, lo ideal sería que evaluara si aún sigue necesitando esta planta y bajo qué dosis. Para ello, lo recomendable sería que disminuya su dosis, poco a poco y no repentinamente.

La dosis estándar que suele recomendarse es de 300 mg, de un extracto estandarizado que contiene 0,3% de hipericina, tres veces al día. Otra alternativa consiste en tomar 450 mg, dos veces al día, o 600 mg en la mañana y 300 mg en la noche. Si se presentan molestias estomacales, tómelo con las comidas. Para algunas personas la hierba de San Juan puede tener un efecto estimulante por lo que no deberán ingerirla cercana al momento de acostarse. Sin embargo, la mayor parte de los reportes afirman que esta planta, más bien, ayuda a conciliar el sueño con mayor facilidad.

Muchos de mis pacientes afirman haber experimentado efectos positivos casi inmediatamente después de ingerirla, tales como "liviandad corporal", disminución de la ansiedad, y un aumento de su capacidad de concentración. Ahora bien, tal co-

mo ocurre con la mayor parte de los antidepresivos, los efectos empezarán a sentirse tres o cuatro semanas después de la primera toma.

Finalmente, cabe mencionar que la hierba de San Juan puede combinarse con adaptógenos a fin de potenciar sus efectos positivos.

COMBINANDO LA HIERBA DE SAN JUAN CON OTROS ANTIDEPRESIVOS

Esta hierba no debe ser combinada con ningún inhibidor de MAO. Por otro lado, si se combina con agentes que actúan sobre la serotonina, existe el riesgo de que se produzca el llamado síndrome de serotonina, un conjunto de síntomas que aparecen como resultado de una subida de los niveles de esta sustancia en el organismo. Si usted está combinando el uso de esta planta con la ingestión de sustancias como el prozac, zoloft, y celexa, necesariamente deberá someterse a supervisión médica. Esté alerta frente a la aparición de signos relacionados al mencionado síndrome. Pese a ser extraños, estos síntomas suelen ser los siguientes: peligrosa elevación de la presión arterial, diarrea, fiebre, ansiedad aguda, dolor de cabeza, tensión muscular, y confusión. El primer signo suele ser un severo y punzante dolor de cabeza. Si esto ocurre, detenga inmediatamente el consumo de la hierba y la medicación y comuníquese con su médico. Cabe precisar que los psiquiatras han tenido éxito ayudando a los pacientes a llevar a cabo una transición adecuada de su medicación habitual a la hierba de San Juan, usándolos combinadamente durante este periodo de transición.

CAMBIANDO DE OTROS ANTIDEPRESIVOS A LA HIERBA DE SAN JUAN

El cambio de una droga antidepresiva, inhibidora de MAO, a la hierba de San Juan no puede ser abrupto, requiere un periodo de descanso, de cuatro semanas, entre la última toma de la droga y el inicio del tratamiento con la hierba, a fin de evitar una peligrosa subida de la presión arterial.

Asimismo, si se pretende sustituir otro tipo de antidepresivos por esta planta, se recomienda que se ingieran ambos remedios combinados, con una disminución gradual de la medicación y un incremento gradual de la dosis de la hierba. Después de un periodo de varias semanas, el efecto de la medicación caduca, y usted ya estará en condiciones de ingerir una dosis completa de la hierba de San Juan. Cabe resaltar, que todo esto se debe realizar bajo supervisión médica.

Efectos secundarios y Precauciones

Básicamente, el consumo de esta planta está libre de efectos secundarios, no obstante, con muy poca frecuencia, pueden presentarse leves molestias estomacales, erupciones alérgicas, fatiga o inquietud. Los individuos de piel blanca, que estén ingiriendo altas dosis de este remedio, podrían padecer de excesiva sensibilidad frente a la luz del sol, por lo que deberán adoptar las precauciones necesarias. Pese a que la siguiente preocupación ya no se estima válida, cabe señalar que antiguos informes médicos sostienen que la hierba de San Juan funciona, de manera muy similar, a las drogas, conocidas como inhibidores de MAO, por lo cual deberán evitarse ciertos alimentos y sustancias como el queso viejo, el vino tinto, y los descongestionantes. Aunque no existe evidencia de que esta hierba pueda causar daño al feto o a los niños lactantes, su uso aún no ha sido aprobado durante el embarazo o la lactancia.

Interacciones de la Hierba con medicamentos y con nutrientes

Se ha informado que la hierba de San Juan interfiere con la eficacia de un determinado número de medicamentos, aumentando y disminuyendo sus niveles en el organismo. Así tenemos

que no debe ser tomada en combinación con: los inhibidores de proteasa (usados en el VIH y el SIDA); el genérico neoral-cyclosporin (recetado después de los trasplantes de órganos); el digoxin; el warfarin (coumadin); y, posiblemente, con los contraconceptivos orales. Para ampliar nuestro panorama, creemos conveniente mencionar que el zumo de pomelo posee efectos similares si se combina con ciertas drogas, así que también debemos estar alertas frente a las interacciones entre la comida y las drogas.

Algunos de mis pacientes, ocasionalmente, combinan la hierba de San Juan con el 5-hidroxitriptófano (5-HTP), un suplemento muy popular que muchas personas emplean para el alivio de la depresión, del Síndrome Pre Menstrual, el insomnio y los desórdenes obsesivo-compulsivos. Ambos remedios aumentan el nivel de serotonina en el cuerpo y pueden complementarse perfectamente. Pese a que la posibilidad es teórica y no existen casos reportados, se sugiere estar atentos frente a la aparición de signos en el organismo de un exceso de serotonina.

10

LA PALMA ENANA AMERICANA

La palma enana americana (*Serenoa repens*) es un extracto de la baya de la palma enana, el fruto de un pequeño árbol de palma que crece en el sudeste de los Estados Unidos, principalmente en La Florida y en Georgia. Los nativos americanos tradicionalmente usaban las bayas de palma enanas para tratar diversos problemas urinarios en los hombres y desórdenes del pecho en las mujeres. Simultáneamente, médicos europeos y americanos decidieron usar esta hierba para hacer frente a la hipertrofia protática benigna (HPB), no obstante en los Estados Unidos, su uso, como el de todas las hierbas curativas, empezó a declinar con la introducción al mercado de modernas patentes de drogas y fármacos.

El interés actual en la palma enana se inicia en la década de 1960, cuando un grupo de científicos franceses inició una serie de experimentos que condujeron al desarrollo de extractos modernos.

Así, hoy en día, en Europa y los Estados Unidos, esta hierba constituye el principal tratamiento contra la HPB, la prostatitis crónica y la inflamación de la próstata.

HIPERTROFIA PROSTÁTICA BENIGNA

La Hipertrofia Prostática Benigna o HPB consiste en un agrandamiento benigno (no canceroso) de la glándula prostática, que afecta, por lo menos, al 10% de los hombres de cuarenta años y al 50% de los hombres de cincuenta años. La glándula de la próstata está envuelta en la producción de fluido seminal. Sin embargo, es más importante el hecho de que esta glándula, del tamaño de una nuez, rodea a la uretra, el tubo a través del cual la orina fluye desde la vejiga. A medida que la próstata se agranda, se estrecha el conducto uretral, dificultando el flujo de la orina y causando una gran cantidad de problemas. Los típicos síntomas de esta dolencia son los siguientes: problemas al momento de iniciar la micción, esfuerzo al momento de la orina, un chorro de orina débil, micción frecuente, goteo después de la micción, una sensación de que la vejiga aún no se ha vaciado, y micciones continuas durante la noche. Otros problemas más serios causados por esta hipertrofia incluyen repetidas infecciones a la vejiga, micción involuntaria y sangrado.

Tratar esta enfermedad no es sencillo. El Proscar (finasteride) y el Hytrin (terazosin) son las drogas médicas estándar usualmente prescritas para curar esta dolencia. Estas drogas son bastante caras, el costo anual del tratamiento con Proscar puede alcanzar los 700 euros, mientras que el costo del tratamiento con la palma enana alcanza solo una fracción de ese monto.

Ahora bien, los médicos usualmente recurren a la cirugía para corregir esta hipertrofia, la cual se denomina resección transuretral de la próstata (RTUP). Esta operación consiste en extraer el exceso de tejido de próstata que rodea a la uretra, alargando la abertura uretral, una especie de conducto libre para este órgano. Dicho procedimiento es bastante doloroso, las drogas alivian un tanto este dolor, pero la hierba es mucho mejor para este fin.

La Palma Enana y la HPB

La hormona masculina, testosterona, se convierte, en el interior de la próstata, en una forma más activa llamada dihydrotestosterona (DHT), la que constituye la causa principal de la HPB. Esta hierba trabaja en dos sentidos o frentes. Primero bloquea la 5-alfa-reductase, la enzima que produce dicho cambio y, posteriormente, bloquea la segregación de DHT a cualquier célula. Además de

generar la referida hipertrofia, la DHT también ataca los folículos capilares, cortando la afluencia de la sangre y conduciendo al afinamiento del cabello y la calvicie (alopecia).

Uno de los muchos experimentos exitosos con esta hierba analizó las reacciones de 110 pacientes a los que se les dio 320 mg de la misma diarios, durante un mes. En todos ellos se produjo un considerable aumento del flujo urinario y disminución de la frecuencia de la micción durante la noche. Alrededor del 90% de los hombres respondieron al tratamiento con esta hierba después de cuatro a seis semanas de iniciado el mismo. En efecto, la palma enana produce un pequeño, pero definitivo encogimiento de la próstata, la que tiende a seguir creciendo cuando no es tratada. En otras palabras, esta planta no solo alivia los molestos síntomas que causa la hipertrofia, sino que también puede contrarrestar el anormal alargamiento del referido órgano.

La palma enana, generalmente, se combina con otras hierbas como la ortiga (*Urtica dioica*) y el pygeum o ciruelo africano (*Pygeum africanum*). Así, en Alemania se llevó a cabo un estudio con 2080 pacientes, en el que se combinó la palma enana con la ortiga durante doce semanas, prescribiéndose una dosis de 160 mg de la primera y 120 mg de la segunda dos veces al día, lográndose importantes mejoras en el alivio de lo síntomas que acompañan a esta dolencia. Asimismo, otro ensayo clínico analizó los efectos de la combinación del pygeum y la palma enana en 250 hombres. Estos hombres recibieron indistintamente 50 mg de ambas hierbas y de un placebo, dos veces al día. El grupo que ingirió las hierbas mostró mejoras de un 66% frente al 33% del grupo que recibió el placebo.

TAN EFECTIVA COMO EL PROSCAR, PERO SIN EFECTOS SECUNDARIOS.

A fin de analizar la efectividad de esta hierba frente al Proscar (finasteride), un reciente estudio científico trabajó con 1.098 hombres, quienes recibieron indistintamente dosis de ambas medicinas, durante seis meses. Ambos tratamientos resultaron igualmente idóneos, pero mientras el Proscar causó impotencia en algunos de los hombres, la palma enana no produjo ningún efecto adverso significativo. El Proscar también disminuye los niveles de sangre de un antígeno prostático específico (APS), el que aumenta en el cáncer de próstata, por lo cual su uso podría generar el indeseado efecto de enmascarar este tipo de cáncer. Por el contrario, la hierba no altera los niveles de APS, haciendo más seguro su uso en este aspecto. Asimismo, otros estudios han demostrado que esta hierba es tan efectiva como ciertas drogas del mercado, tales

como el alfuzosin (Uroxatral) y terazosin (Hytrin), sin los efectos secundarios de las mismas y a un precio mucho menor.

LA PALMA ENANA Y LAS MUJERES

Existe un determinado número de dolencias en las mujeres, tales como ciertos tipos de acné, crecimiento excesivo del pelo (hirsutismo), y pechos fibrocísticos, que son el resultado de un incremento de la producción de la hormona masculina. La palma enana posee la misma acción en las mujeres que en los hombres, disminuyendo el nivel de DHT.

DOSIFICACIÓN Y SEGURIDAD

La dosis estándar de palma enana es de 160 mg, dos veces a día, de un extracto estandarizado que contiene de un 85 a un 95% de ácidos fáticos y esteroles (alcoholes esteroides), estos últimos constituyen los ingredientes activos de esta hierba. Asimismo, una dosis de 320 mg, una vez al día, puede ser igual de efectiva. La dosis recomendada de la solución de esta planta es de 2 a 5 ml tres veces al día; tal solución generalmente contiene una parte de hierba y cinco partes de alcohol.

La aparición de efectos adversos debido al uso de este remedio natural es rara. No obstante podrían presentarse leves molestias estomacales. Por el contrario, el Proscar pude causar impotencia, disminución de la libido, y deficiencias en la función sexual, mientras que la palma enana mejora notablemente la actividad sexual. ¿Cuál preferiría usted?

11

CÓMO COMPRAR Y USAR

Elegir un producto herbal, ya sea una cápsula, una tableta, una solución, o una hierba en estado natural, puede resultar confuso. En efecto, cada marca posee características propias y acarrea beneficios distintos, además se oyen muchas historias acerca de la falsedad e inefectividad de muchos productos. Toda esta avalancha de información puede dejar al consumidor totalmente abrumado. En este capítulo, usted aprenderá acerca de las diferentes formas y presentaciones bajo las que se venden las medicinas herbales y de qué manera adquirir los productos de la más alta calidad.

Las hierbas pueden ser vendidas como infusiones, soluciones o tinturas, tabletas y cápsulas. Debido a su forma líquida, las infusiones y las soluciones se absorben más rápido que las demás. Asimismo, los herbolarios tradicionales generalmente recomiendan la forma líquida, puesto que probando el sabor de la hierba, nuestro organismo empieza el proceso de permitir que esta nos cure. Las tabletas y las cápsulas se elaboran a partir de cantidades exactas de la planta, y constituyen las presentaciones más comunes y convenientes. Las cápsulas con base gelatinosa o vegetal, llenas de la hierba pulverizada y seca, vienen en una gran variedad de tamaños y potencia, por lo cual usted deberá leer las etiquetas para asegurarse que está adquiriendo la dosis adecuada. Las tabletas están formadas por la hierba pulverizada comprimida dentro de una píldora sólida, y a menudo poseen una variedad de ingredientes inertes como relleno. Estas son más difíciles de deshacerse y ser absorbidas y, en ciertas ocasiones, dependiendo de la calidad, pueden atravesar íntegramente el sistema digestivo completamente intactas.

Por otro lado, la hierba entera, puede hallarse disecada dentro de envases oscuros en cualquier tienda especializada y puede prepararse como distintas concentraciones de tisanas bajo la forma de decocciones o cocimientos (la más fuerte) o infusiones.

La medicina china generalmente emplea las decocciones, hirviendo, durante cierto tiempo, una combinación de hierbas secas a fin de extraer la medicina y reducir la cantidad de líquido, logrando así una mayor concentración de té. A un té ralo se le denomina infusión, que es la forma en que nosotros, usualmente, elaboramos esta bebida con

las hojas o las bolsas de té. Coloque agua hirviendo sobre la hierba, déjela remojar, filtre el líquido (o retire la bolsa de té), y luego beba la mixtura. El chamomile, una de las hierbas calmantes más comunes, se prepara de esta manera. Asimismo, una tintura se obtiene empapando la hierba elegida en alcohol. Algunas tinturas se preparan con glicerina para evitar el sabor del alcohol, pero el extracto resultante es más débil. Si usted prefiere no ingerir alcohol, coloque la solución en agua tibia o té durante unos minutos y deje que el alcohol se evapore, lo que también servirá para eliminar cualquier remanente de sabor de este último.

REVISE LAS ETIQUETAS CUIDADOSAMENTE

La primera cosa que usted deberá verificar es el nombre común de la hierba, por ejemplo la hierba de San Juan, seguida por su nombre botánico latino, en este caso, *Hypericum perforatum*, para asegurarse de que está adquiriendo la planta correcta. En determinadas circunstancias, esto puede resultar confuso, especialmente cuando los productores pretenden sustituir la hierba propiamente dicha por un pariente inactivo de la misma. Como es el caso, por ejemplo, de la *Rhodiola sacra* en lugar de la *Rhodiola rosea*, la que contiene el ingrediente activo conocido como rosavin. Lo siguiente que deberá hacer es verificar la cantidad de hierba en cada unidad, ya sea que se trate de una cápsula, una tableta, o un cuentagotas, en gramos o miligramos (mg). Si se trata de un extracto, es decir, la presentación concentrada, la etiqueta deberá mostrar el constituyente por el cual la hierba es estandarizada. Por ejemplo, 0,3% de hipericina para la hierba de San Juan y 24% de ginkgo lides para el ginkgo.

EXTRACTOS ESTANDARIZADOS

A diferencia de las drogas sintéticas, que generalmente poseen un solo componente, con frecuencia las hierbas contienen una variedad de ingredientes activos. Y dado que las plantas crecen, más que ser manufacturadas, la cantidad de un ingrediente activo puede verse afectada por cierto número de variables. Tales como el lugar en que dicha planta creció, la estación e incluso el momento del día en la que fue cosechada.

Los productores más reconocidos de los extractos de hierba estandarizados, necesariamente, deben ajustarse a estas variaciones. No obstante, logran asegurarnos la entrega de un producto consistente, que contiene una cantidad exacta de la hierba por cada unidad de dosis, ya sea que se trate de una cápsula, una tableta, o una tintura. Así, al momento de elaborar el extracto estandari-

zado, los productores escogen un ingrediente, usualmente aquel que consideran el activo, como el punto de referencia, o señalador.

Incluso cuando el componente resulta no ser el ingrediente activo, es conveniente seguirlo manteniendo como señalador. Por ejemplo, inicialmente la hipericina fue considerada el principal ingrediente activo antidepresivo de la hierba de San Juan. Más adelante se descubrió que no resultaba tan significativa en este aspecto como el hiperforin, pese a ello siguió siendo considerado como señalador para los extractos estandarizados. Asimismo, otros ingredientes pueden estar relacionados en la acción antidepresiva de la hierba, y estar distribuidos dentro de la planta de una manera similar a la hipericina. Por ende, la estandarización de dicho ingrediente sirve como una guía útil para el fortalecimiento de todos los ingredientes activos de un producto derivado de la hierba de San Juan.

Simplemente tomar un "componente activo" aislado no le hace justicia al poder de la combinación que se halla en la naturaleza. Dichos componentes trabajan sinérgicamente para lograr un máximo efecto. Más aún, la medicina tradicional china casi siempre administra las hierbas a través de mixturas a fin de utilizar las propiedades sinérgicas de varias de ellas.

Escogiendo la dosis correcta

Todas las etiquetas de los productos herbales contienen recomendaciones sobre la dosificación. Generalmente la dosis establecida es la dosis promedio. Una etiqueta de ginkgo, por ejemplo, puede sugerir la ingestión de una tableta de 60 mg dos veces al día, todo ello conforme a investigaciones y al uso clínico que se le da a esta planta. Mientras que la referida dosis puede incrementar la memoria, el doble de esa dosis se utiliza para combatir el Alzheimer. Todas las personas son diferentes y sus organismos tienen necesidades distintas, por lo cual las dosis deben ser individualizadas mediante cuidadosos experimentos y observación.

Usualmente, les recomiendo a los pacientes que inicien su tratamiento con una dosis relativamente baja, estén alertas a las reacciones (incluyendo efectos potenciales indeseados) para que, si es indispensable, puedan ajustarla apropiadamente. He tenido pacientes a los que les ha ido bastante bien tomando 300 mg de la hierba de San Juan una vez al día, mientras que otros han necesitado cuadriplicar dicha dosis para obtener los mismos resultados. La mayoría de as personas, más bien, se ajustan a una dosis intermedia de 300 mg, con un contenido de 0,3% de extracto de hipericina, tres veces diarias.

La verdad acerca de las etiquetas

Las etiquetas de los productos herbales no nos ofrecen mucha información útil, como decirnos, por ejemplo, para qué deberá ser usada la hierba. La razón que explica esta aparentemente deliberada falta de información vital es que la mayoría de los productos herbales están regulados como suplementos de la dieta. En 1994, la Administración de Alimentos y Medicinas de Estados Unidos (*US Food and Drug Administration*, FDA) publicó el Acta Federal de los Suplementos Dietéticos y Educación de la Salud (*Federal Dietary Supplement Health and Education Act*, DSHEA). Dicha Acta estableció las nuevas pautas relacionadas con la calidad, etiquetación, envoltura y mercadeo de los suplementos. Asimismo, permite a los productores emitir "afirmaciones acerca del contenido nutricional de las vitaminas y los minerales convencionales" en las etiquetas. Sin embargo, dado que las hierbas no pueden considerarse nutricionales en el sentido tradicional, dichas afirmaciones pueden explicar de qué manera una vitamina o una hierba afectan la estructura y la función del organismo. No obstante, dicha etiqueta no puede contener alegaciones terapéuticas o preventivas, tales como "alivia los dolores de cabeza" o "cura el resfriado común". Una etiqueta de la palma enana, por ejemplo, puede decir, "ayuda a mantener la salud del sistema urinario y de la

próstata en los hombres a partir de los cincuenta años". Pero no puede afirmar, "trata la hipertrofia prostática benigna", pese a que esta propiedad constituye la razón principal por la que dicha planta se consume.

Conclusión

Las medicinas herbales son remedios naturales efectivos y seguros. Generalmente poseen menos efectos secundarios que las drogas y son, además, relativamente baratas. No se trata de simple conocimiento tradicional o folclor popular, su uso está respaldado por incontables estudios científicos que han brindado información muy rica acerca de cómo funcionan, siempre en nuestro beneficio.

Si usted ha leído íntegramente este libro, ya posee conocimientos básicos no solo sobre las propiedades y características de las principales y más populares hierbas medicinales, sino también sobre cómo trabajan y cómo debe seleccionarlas para darles un uso personal adecuado. No debemos olvidar que estamos frente a exquisitos regalos de la naturaleza que trabajan armoniosamente con la química y energía de nuestros organismos para curar muchas dolencias y lograr una salud óptima.

Los remedios naturales pueden enfrentarse, tranquilamente, a los productos farmacéuticos e incluso lograr muchas cosas que estos no pueden.

Ahora bien, dado que nuestros recursos naturales están siendo mermados, es muy importante recordar que debido al uso cada vez más amplio de las hierbas, debemos asegurarnos de que estas sean replantadas y renovadas. No tendría ningún sentido emplear estos productos milagrosos para mantener nuestra salud, mientras amenazamos la salud del planeta. Más aún, cualquier daño que le infrinjamos a la naturaleza repercutirá directamente en nosotros. Al momento de destruir nuestras junglas, por ejemplo, comprometemos nuestra provisión de oxígeno y con ello, literalmente, nos asfixiamos en el proceso. Además, también estamos perdiendo, irrevocablemente, cientos de plantas medicinales, diariamente en esta destrucción.

Por todo ello, quisiera que mis palabras finales sean un recordatorio de la obligación que tenemos de honrar a nuestra madre, la Tierra, y de caminar ligera y respetuosamente sobre su vasta superficie.

ÍNDICE ANALÍTICO

NUTRIFARMACIAS *ONLINE*

www.midietetica.com www.casapia.com
Reus, Tarragona, España.

www.facilfarma.com
Cambados, Pontevedra, España.

www.naturallife.com.uy
Montevideo, Uruguay.

www.farmaciasdesimilares.com.mx
México DF. México.

www.laboratoriosfitoterapia.com
Quito, Ecuador

www.farmadiscount.com
Lugo, España.

www.hipernatural.com
Madrid, España

www.biomanantial.com
Madrid, España

www.herbolariomorando.com
Madrid, España

www.mifarmacia.es
Murcia, España.

www.tubotica.net
Huelva. España.

www.elbazarnatural.com
Orense, España.